フェイクを見抜く

「危険」情報の読み解き方

karaki hideaki
唐木英明

kojima masami
小島正美

HOW TO SPOT
FAKE NEWS

ウェッジ

はじめに

巷《ちまた》では玉石混交の情報が乱れ飛んでいる。そうした偽情報や誤情報、デマ、不正確な情報に対して、「正確」「不正確」「誤報」「虚偽」などと真偽を検証する「ファクトチェック」活動が日本でも活発になっている。しかし、あるニュースや記事、ネット情報に対して、簡単に「正確」とか「間違い」と判断するのは、実は意外に難しい。ニュースで流れた政治家の発言が事実かどうかを確認するという程度のことなら、それほど難しくはないだろう。現にそういう情報に対するファクトチェック活動は日本でも始まっている。

ところが、「農薬のせいで子どもの発達障害が増えた」とか「非糖質系甘味料の摂取はがんを増やす」、また「妊婦が新型コロナワクチンを接種すると流産する」「ゲノム編集食品を食べるとがんになる」「有機食品は美容によい」といった「科学とリスク」に関わる話となると、専門的で学際的な科学知識が必要となるだけに、そう簡単に「誤報だ」などと断定することは難しい。最近は、科学を装った誤情報が多く出回っているだけに、真偽の判定は余計に困難を極めている。つまり、従来のファクトチェックでは手に負えない巧妙な偽情報や誤情報が増えているのがいまの時代である。

さらに、同じニュースや記事でも、別の角度から見ると「これって、相当に偏っている」

と思われる情報も増えてきている。例えば、福島第一原発の事故でたまり続けるタンクの処理水放出をめぐる問題でも、同じテーマを扱っていながら、新聞社やテレビでその報道の中身がかなり異なり、何が真実か分かりにくい例も増えている。この問題は、新聞やテレビなど媒体ごとに報道スタンスがはっきりと分かれる「メディアの分断」とも関係するため、新聞を読み比べても真相はなかなかつかめない。

フェイクニュースをテーマにした数々の本でいつも書かれているように、インターネットの世界では恐怖や不安に訴える偽ニュースや都市伝説的な話ほど「速く」「広く」拡散する。それがここ20年間の特徴だった。

ところが、今や次の革新的技術である人工知能（ＡＩ）の爆発的な普及が進行している。これまでも本物と見分けがつかない偽動画や偽画像を作ることはできたが、それは専門家が専門技術と多額の費用をかけて作っていた。例えばスティーヴン・スピルバーグ監督の映画「Ｅ.Ｔ.」は１０００万ドル、15億円（１ドル１５０円換算、以下同）の製作費をかけたと言われるが、現在はＡＩソフトを使ってＥ.Ｔ.もどきの画像はもとより動画までも短時間で安価に作ることができる。ということはＳＮＳ（ソーシャル・ネットワーキング・サービス）による文字情報の時代からＡＩによる画像情報の時代に入ったということだ。

そしてその効果は驚くべきものだ。例えば、プラスチック製のストローは環境に悪いからやめようなどとＳＮＳにいくら書き込んでも結果は出なかった。ところが世界中のプラスチック製ストローを激減させたのが、鼻孔にストローが刺さった1匹のウミガメの写真だった。文字情報以上に画像情報は感性に強く訴えかける。だから、正しい方向に使えば大きな効果がある。しかし、同時にフェイクニュースの手段としても文字情報とは比べ物にならないくらい強力だ。こうして「ディープフェイク」と呼ばれる識別が極めて困難なフェイク画像が氾濫する時代がやってきた。偽画像と分かって面白がるだけなら大きな問題にはならないだろう。しかし偽画像を本物と勘違いして不安や怒りが生まれ、社会、経済、政治にまで大きな混乱をもたらす可能性は大きく、国際的にその対策の検討が始まっている。このような新しい事態に対処する方法を探ることもまた本書の大きな目的だ。

ではどうすればよいのか。本書は、従来のファクトチェック活動では手に負えない具体的な実例を挙げながら、フェイク情報への対処法を解説する。またメディアの言論空間の構図や生態も解説する。氾濫するフェイクニュースを解析する類似の本は何冊か出版されているが、日本や海外で実際に起きている具体的なニュースを挙げて、「これは○○の部分がおかしい」といった実践的な手引き本はほとんどなかった。そういう意味で本書は、事実または実像に近い真実を手に入れるための武器を提供するテキストブックである。氾濫する情報に溺れないための遊泳術を一緒に考えようという本である。

筆者2人は「食品安全情報ネットワーク」（FSIN）の共同代表として、メディアで流布する非科学的なニュースを見つけ、新聞社などに訂正を求める活動を2008年から続けてきた。しかし、インターネットの普及でおかしな情報はあまりにも増え過ぎ、一つ一つに対処する作業は困難を極めている。ならば、読み手がフェイクニュースにだまされないリテラシー（情報を読み解く力）を身に着けておくことも重要である。その手助けになるテキストを提供したいという狙いから、本書を世に出した。

このため、本書では「そもそもニュースとはどういうものなのか」「記者はどんな思考や癖で記事を書いているのか」「ニュースのバイアスはどのようにつくられるのか」「虚偽の情報はどのような手法でつくられていくのか」といった実践的な基本知識も得られるような内容を盛り込んだ。これで情報の裏側を見る目が養えるはずだ。

一般に「フェイクニュース」の「フェイク」と言えば、意図的な狙いで流す虚偽の情報、または意図せずとも結果的に間違った嘘の情報を指す。しかし、本書では「意図的な虚偽情報」という狭い範囲に限定せず、もっと幅広い意味で「フェイク」という言葉を使う。米国の共和党のトランプ元大統領が米国の新聞やテレビの多くが流すニュースに対して、常に「フェイク」だと形容した背景には、米国のメディアの大半（ワシントンポストやニューヨークタイムズ、テレビのCNNなど）が共和党ではなく、明確に民主党を支持する媒体だということも関係しているだろう。これは言い換えれば、トランプ元大統領の目から見ると、おそらくメディアの大半が「偏った情報」に見えるのだろう。そういうメディア空間への反発心から、「フェイク」という言葉が出てきたのではないかと推測する。

この本では、あまりにも偏ったニュースや記事は「フェイク」に近い扱いとした部分がある。そういう意味で、本書では、科学的根拠のないデマ情報から、ごく少数の科学者だけが発信している偏った情報まで、フェイクを幅広くとらえている。

例えば、福島第一原発のタンク内の処理水に含まれるトリチウム（水素の一種で三重水素）に対して、「生物に濃縮しやすいから危ない」と主張する学者がいる。実際にそういう主張を載せている新聞の社説（琉球新報・2022年5月21日）もある。しかし、いくら一科学者や一新聞社（論説委員）の主張、意見といえども、海洋放出された低濃度のトリチウムが生物に濃縮するという科学的な事実はない。このため、そういう言説もフェイク扱い（フェイクもどき）で解説する部分がある。つまり、トンデモ情報をフェイクと形容するケースもあるわけだ。

社会心理学の本を読むと、「いくら科学的な事実を突きつけても、強い先入観を持つ人の考えを変えることはできない」という解説がよく出てくる。確かにその通りである。強固な考えをもった人に対して、「科学的にはこうです」と言っても、説得することは不可能だろう。しかし、世の中の6割前後は「どちらが正しいか迷っている」と思われる人たちだ。本書はそのような迷いをもつ6割の人たちに対して、役に立つ参考書を目指した。

この本では、まずは従来の意味のフェイクニュースにはどんなものがあり、どんな作られ方がなされているかを解説する。次いで具体的な事例を順々に挙げながら、ニュースの読み解き方、科学的なものの見方を解説していく。具体的には、1章はフェイクニュースを作り出す手法、2章は農薬や添加物など食のリスクをめぐるフェイクニュースの分析、3章は遺伝子組み換え作物をめぐる誤解、4章は除草剤のグリホサートと発がん性分類をめぐる誤解、5章はネオニコチノイド系農薬をめぐるテレビ報道に関するファクトチェックの実践、6章は記者のバイアスがニュースのバイアスをつくる例として、BSE（牛海綿状脳症）、中国産食品、新型コロナ、子宮頸がんワクチンの分析、7章は記者がどこまで自由に記事を書けるのかという問題と新聞界で進む分断の構図分析、となっている。各章は独立しており、必ずしも1章から順番に読まなくてもよい構成になっている。まず興味のある章から読み始めていただくのもよい。2人の筆者がどの部分を担当したかは巻末を参照していただきたい。

2023年12月

唐木英明
小島正美

フェイクを見抜く――「危険」情報の読み解き方　目次

第4章 フェイクニュース・ビジネスで大儲け
――除草剤グリホサート

第5章 メディアが好む危ない情報にどう対処するか
――ネオニコチノイド系殺虫剤

第6章

記者のバイアスがニュースのバイアスを作る

──BSE、中国産食品、新型コロナ、子宮頸がんワクチン

第7章 進むメディアの分断、記者はどこまで自由か
――ゲノム編集食品、原発処理水

終章　フェイクを見抜くために

第1章

フェイクニュースを作り出す手法

フェイクニュースの時代

フェイクニュースの歴史

世の中に流されているフェイクニュースにはどんなものがあるのかをChatGPTに聞いてみた。その一部を紹介する。

○遺伝子組み換え作物や除草剤ラウンドアップや甘味料アスパルテームががんを引き起こし、食品保存料が脳に損害を与える
○携帯電話に使用する5G信号はがんなどの健康問題を引き起こす
○新型コロナウイルスは人工的に作られたもので5Gなどの電波で拡散する
○新型コロナワクチンに含まれるマイクロチップは人々を操り行動を監視する
○UFO（未確認飛行物体）の存在を米国政府やエリート層が隠蔽している
○米国には「闇の政府（ディープステート）」と呼ばれる秘密結社があり政治に影響を与え

ている
○ワシントンD.C.のピザ店に民主党幹部による児童買春の拠点がある

これはほんの一部であり、世の中にはどのくらいのフェイクニュースが流されているのか見当が付かない。多くの人がこの中のいくつかは聞いたことがあると思う。

総務省は「プラットフォームサービスに関する研究会」を設置し、「インターネット上のフェイクニュースや偽情報への対応」を含む報告書を2022年に発表した。(1) そこに記載されている調査結果によると、直近1カ月での偽情報への接触率は75%であり、3割程度の人は、偽情報に週1回以上接触していると述べている。フェイクニュースがいかに多いのかがよく分かる。

動物は生存戦略として相手をだます行動をするが、人間のように巧みな嘘をつくことができない。嘘をつくためには、自己認識や抽象的な思考と言語が必要であり、これらの能力は人間にしか備わっていないからである。そしてフェイクニュースの根源は「人間は嘘をつく動物」であるところに行きつく。嘘をつく目的は、詐欺や不正行為を行うことで他人を欺《あざむ》い

(1) https://www.soumu.go.jp/main_content/000831345.pdf

て金銭や財産を手に入れる、自分の過去の過ちやミスを隠し、責任を転嫁する、嫌な真実を伝える代わりに嘘で慰める、相手に良い印象を与えるなど様々である。そして人間が言語を獲得して社会生活を始めて以来フェイクニュースは存在したと考えられる。

フェイクニュースは仲間内のうわさ話だったが、その量が爆発的に増えて社会に混乱を起こすようになったきっかけは情報の大量伝達手段の発達である。まず17世紀の印刷技術の普及によりヨーロッパでは新聞や印刷物が広まり、政治的な宣伝や偽情報が広まった。有名な例として18世紀のジョン・トラップ事件がある。ロンドン在住のトラップ氏が自分の子どもたちを売り飛ばす広告を出したというニュースが新聞で大々的に報じられた。しかし、このような人物は存在せず、全てがでっち上げであったことが明らかになった。事件の背景にはスコットランドとイングランドの間で起こったスチュアート朝の王位継承問題をめぐる対立があり、トラップ氏はその一方の支援者とされた。反対派の評判を落とす印象操作は昔からある定番の手法である。

20世紀の2回の世界大戦時には、各国が偽情報を広めることで軍事行動や国民の意識を操作した。第一次大戦時にドイツは「アプヴェーア」と呼ばれる諜報機関を作り、誤った情報を流すことで相手の戦意を削ぎ、混乱を引き起こそうとした。第二次大戦中、英国はドイツに偽情報を送り、米国もまたゴースト・アーミーという情報操作の組織をつくった。日本では「大本営発表」と称して幻の戦果を国民に伝えて劣勢を隠し、国威を発揚した。

21世紀に入るとインターネットとSNSの普及により、個人があらゆる情報を簡単に入手できるだけでなく、自らも情報を発信することが可能になり、そこに情報ビジネスが参入してフェイクニュースが急速に拡散するようになった。

フェイクニュースを広める八つの目的

フェイクニュースを流す主な目的は「利益」だが、それは個人的な利益から組織や国家の利益まで幅広い。

1．政治的利益

2016年の米国大統領選挙では、ロシアのインターネットリサーチエージェンシー（IRA）などの外部勢力が、民主党のヒラリー・クリントン候補を貶《おとし》め、共和党のドナルド・トランプ候補への支持を集めるための陰謀論を大量に拡散し、トランプ候補が勝利した。ワシントンD．C．のピザ店に民主党幹部による児童買春の拠点があるというのはこのときのフェイクニュースである。また、2016年の英国のEU離脱国民投票（Brexit）で離脱支持派はＥＵの経済的負担や移民問題について誇張した主張を行い、情報操作を行った結果、勝利した。

2．国際的な対立での利益

国家間の対立や紛争の中では、他国や敵対勢力に対して虚偽の情報を流布し、国内外の世論を操作することで、自国の利益を追求することがある。ロシアによる軍事侵攻の4日後にウクライナ文化・情報省はＳＮＳで『インターネット・アーミー』を開設し、これに参加した30万人の国民がウクライナ政府の指示どおりに米国議会の軍事委員会議員に軍事支援強化を要望するメールを送り、大手メーカーのコカ・コーラやネスレにはロシアからの撤退を求めるメールを送ったことは、フェイクとは言えないが、その例である。

3．社会的な混乱を引き起こす利益

意図的に社会的な混乱を引き起こし、社会の分断を深め、特定のグループに対する敵意や不信感を煽ることで利益を得ることがある。ミャンマーではロヒンギャ族に対する人権侵害や迫害が行われているのだが、ＳＮＳを通じてロヒンギャ族を批判する偽情報や虚偽の情報が広まり、宗教的な対立や暴力が煽られ、ミャンマー政府はこれを利用して迫害を正当化したと言われる。

4．経済的利益

江戸時代後期に現在の京都府木津川市在住の国学者椿井政隆は多くの偽文書を作った。これらの「椿井文書」は家系図、縁起書、由緒書、絵図など1000点以上あると言われ、神社仏閣や豪農などに販売され、歴史や由緒を偽装するために利用された。その内容を信じて、学校教材や市町村史などに転載されたこともあったが、近年の研究により偽造であることが明らかになった。椿井政隆の経済的利益だけでなく、文書を購入した人たちにも利益があったためこれだけ広がったのだろう。

現代社会では株式市場で虚偽の情報を広げることで株価が変動して関係者が利益を得る、自社の商品やサービスを過大に宣伝することで消費者を惑わせて利益を得る、競合他社の評判を損なうことで自社の地位を強化するなどフェイクニュースが利益になる例は多い。個人や組織が広告収入を得るためにクリックを集める、あるいは商品やサービスの宣伝目的で情報を歪曲することも少なくない。

例えば米国のステラ・イマニュエル医師は、新型コロナウイルス感染症の治療薬としてヒドロキシクロロキンをSNSで推奨し、「マスクや社会的距離は必要ない」「ヒドロキシクロロキンがあれば新型コロナは治る」と主張した。これは科学的根拠がなく、WHO（世界保健機関）やFDA（米国食品医薬品局）が否定したにもかかわらず、彼女はヒドロキシクロロキンを販売し、オンライン上で偽の医療診断を行うなどの詐欺行為にも手を染めた。トランプ大統領はX（旧Twitter）上で彼女の言葉を引用し、ヒドロキシクロロキンを「魔法の薬」と評してその使用を推奨する発信を何度も行い、自身も新型コロナウイルスに感染したときに服用したと発言している。その結果、イマニュエル医師は多額の収入を得ている。Facebook とXは彼女の投稿を削除し、彼女は不法医療行為で起訴されている。

２０２４年の米国大統領選に出馬を表明したロバート・F・ケネディ・ジュニア氏は、暗殺されたジョン・F・ケネディ元大統領のおいだ。新型コロナウイルスに関する陰謀論を広めるグループ「Children's Health Defense」を設立し、反ワクチン運動を展開して多額の寄付金収入を得ている。Instagram は２０２１年、ワクチンに関する偽情報を繰り返したとして同氏のアカウントを削除した。

イマニュエル医師もケネディ・ジュニア氏も、利益のためにフェイクニュースを流していることを認めず、ＳＮＳを通じてその主張は真実であり、社会のために活動していると宣伝して賛同者から寄付金を集めている。

５．詐欺や不正行為による経済的利益

フィッシング詐欺の手口の一つとして、偽の情報を使って個人情報を集める手法がある。偽装のウェブサイト、銀行やオンライン決済サービス、ソーシャルメディアなどの正規の企業や組織を装ったフィッシングメール、被害者に重要な情報を求めるスミッシング（ショート

メッセージサービスSMSとフィッシングを組み合わせた言葉）などの手口が使われる。警察庁によると2020年には2万件近いフィッシング詐欺事件が発生し、被害額は約176億円に上っている。高齢者を狙った詐欺が多く、被害者の平均年齢は69歳だった。

6．倫理や道徳的な利益

環境問題や人権侵害などの重要なテーマについて、情報の真偽を問わずに、あるいは情報を誇張して、感情に強く訴える内容やショッキングな内容を伝えることで、人々の関心や行動を喚起しようとする場合がある。例えば特定の環境災害や生物多様性の喪失の影響を誇張したり、不正確なデータを使用して危機的な状況を描写する方法だ。

総務省の報告書では[2]、新型コロナウイルス感染症と米国大統領選挙に関する間違い情報や誤解を招く情報を、それらを信じた場合や真偽不明だと思った際、4割の回答者が共有・拡散していた。その理由は、「情報が正しいものだと信じ、他人に役立つ情報だと思った」（37％）、「真偽不明だが、他人に役立つ情報だと思った」（34％）、「真偽不明だが、情報が興味深かった」（30％）、「他人への注意喚起」（29％）の順だった。危険な情報は広く知らせる必要があるという善意がフェイクニュースを広げていることが分かる。

（2）　https://www.soumu.go.jp/main_content/000831345.pdf

具体例としては、2023年春、米国の三つの銀行から大量の預金が引き出されて相次いで破綻し、騒動はスイスの大手銀行にまで波及した。米国議会下院金融サービス委員長がこれについて「初めての Twitter に煽られた取り付け騒ぎ」と発言したように、SNSによる「銀行が危ない」という情報の拡散が原因でパニックが起こり、銀行の預金量の4分の1に当たる5兆6000億円が1日で引き出された。多くの人が情報を拡散した理由は危険を知らせようとする倫理観だが、人々が銀行に殺到して預金を引き出す状況がインターネット経由で瞬時に拡散し、不安が広がって取り付け騒ぎがさらに拡大したと言われる。

SNSの口コミサイトは善意を前提としたものであり、書き込みを信じて参考にする人は多い。しかし中には事実と異なるものや、偏見や悪意の書き込みなどのフェイクもあり、ビジネスが不合理な被害を受けることもある。サイト運営企業に書き込みの削除を求めても、どちらが正しいのか判断することが困難という理由で簡単に解決しない例も多い。

7. 名誉欲と科学研究費の獲得という利益

1909年に英国で人類と猿の中間の頭蓋骨が見つかり、人類の最古の祖先としてピルトダウン人と名付けられた。ところが発見から40年後にこれは人間とオランウータンの骨をつなぎ合わせた偽物であることが分かった。日本でも石器を地中に埋めておき、それを発掘して大発見を装った事件があった。これらの出来事は世間を騒がせて科学に対する信頼を傷つけたのだが、その動機は偉大な発見者としての名誉欲だったのだろう。

かつての科学は知識人の趣味の世界であり、科学をする人は哲学者と呼ばれ、科学的発見は名誉だった。産業革命以後、科学技術が産業の発展と深く結びつき、科学が職業になり、科学者という職業が生まれた。科学研究には膨大な経費がかかり、科学者にとって最大の問題は競争的研究費の獲得である。そのためには著名な科学雑誌に新しい研究成果を次々に発表する必要がある。そこで出てきたのが毎年のように明らかになる科学研究の不正である。その内容は専門的であり、ＳＴＡＰ細胞事件のように大きく報道されたものもあるが、大部分は小さな報道で終わっている。ここではこの問題は取り上げないが、詳細はWikipediaの「科学における不正行為」を見ていただきたい。

8．達成感という利益

愉快犯と呼ばれる人々がインターネット上で人々を驚かせて笑いを取ることを目的としてフェイクニュースを作成し、広める「トロール行為（迷惑行為）」がある。２００９年には「ＮＡＳＡが地球の終焉を２０１２年と予測」というフェイクニュースが拡散され、２０１７年にはマクドナルドのチキンナゲットに人間の肉が混入しているというフェイクニュースが流された。

インターネット上での匿名性がフェイクニュースの拡散を容易にする要因となっているの

だが、流した本人が誰か分からないので、その人物に経済的な利益があるわけではない。世の中を騒がせたという達成感が愉快犯の動機なのだろう。

フェイクニュースの作られ方

なぜフェイクニュースを信じてしまうのか？

それではなぜ多くの人がフェイクニュースを信じてしまうのだろうか。私たちが信じやすい話題は、社会の関心が大きいもの、社会の意見が割れているもの、そして誰もが驚く話題の三つだ。そこにはいくつもの理由がある。

1．認知バイアス

情報を評価する際に、誤った判断を生じさせる心理的な傾向を認知バイアスと呼ぶ。そのために情報を客観的に判断できず、本能や先入観、信念に基づく解釈を行う傾向があるからだ。

人間の脳は、危険を察知して身を守るために、危険情報に特に注意を払い、それを優先的に処理する傾向がある。このため、危険な情報を聞いたり、目にしたりすると、それに強い関心を抱く。そしてこのような本能的な反応の結果、負の情報や危険な情報を過剰に意識するという誤った認識や偏見が生じる。

また認知システムにかかる負荷やストレスが認知バイアスにつながる。認知システムとは、知覚、注意、記憶、言語、思考などをつかさどる脳の機能であり、複雑な作業や、多数の情報を同時に処理するときに認知的負荷が高くなる。すると情報処理の効率が低下し、正確性や完全性が損なわれる。ネット情報は過剰であり、その内容が複雑で不明確、あるいは不確実性や曖昧さを含むので、これを判断しようとすると認知的負荷が起こりやすいのだ。

認知的な偏見の原因には、過去の経験や情報に基づく信念、すなわち先入観がある。人々は自分の先入観に合致する情報を受け入れやすく、逆にそれと矛盾する情報を拒否しやすい。これを「確証バイアス」と呼ぶ。これは自分の先入観を守ろうとする本能的な行動である。

2. 情報量の増加

SNSの発達は目を見張るものがある。総務省『情報通信白書（2020年度版）』によれば、世界の情報伝達力は1918〜20年のスペイン風邪流行時を1とした場合、2002年のSARS流行時は2万倍、2009年の新型インフルエンザ流行時は17万倍、そして2020年の新型コロナ流行時は150万倍に増大している。

情報量の増加をもたらしたのがSNSであり、2021年1月時点での主要なSNSサイトの利用者数は、Facebookが約29億人、YouTubeが約20億人、WhatsAppが約20億人、Instagramが約10億人、TikTokが約8億人、WeChatが約11億人、X（旧Twitter）が約3億人、合わせて100億人以上になり、世界人口80億人を軽く超える。単純計算では、世界の全ての人が一つ以上のSNSアカウントを持っていることになるのだが、筆者（唐木）自身も四つのアカウントを使っている。

ということは、世界の大部分の人がこれまでとは比較にならないほど多量の情報の影響を受けていることになる。そしてSNS上での情報交換は、自分と同じ先入観を持つ人々との交流が中心となる。その結果、確証バイアスにより認知バイアスがより強化され、フェイクニュースを意図的に拡散しやすい環境ができる。

3．もっともらしいフェイク

SNSで拡散される情報の中には、見栄えがよく一見信憑性があるものが多いため、真偽の判断が難しいことが多い。

例えば2023年5月22日朝、「ペンタゴン（米国防総省）付近で大爆発」という説明を付けた写真がTwitterに投稿された。これを見て株式市場が動揺し、株価は大幅に下落した。しかし、そのような事実がないことを地元警察が20分後に発表し、写真はAIが生成した画像であることが分かり、騒ぎは収まった。このような事態を受けて、マイクロソフト社のブラッド・スミス社長は、ＡＩに関する最大の懸念事項は、ＡＩによって写真や動画が本物そっくりに加工される「ディープフェイク」と呼ばれる技術だと述べ、その対策の必要性を強調した。

フェイクニュースを作る21の方法

それではどんな方法でフェイクニュースを作るのだろうか。そして、どのような方法で拡散させるのだろうか。その手法は次のようなものである。

1．虚偽・捏造・隠蔽・改ざん

虚偽と捏造は何も起こっていないのに、起こったように主張することだ。例えば１９３８年のラジオ番組でオーソン・ウェルズが「宇宙戦争」というドラマを放送した。その内容があまりに真実味を帯びていたため、実際に起こっている事態の実況中継と誤解した聴取者が恐怖に陥り、パニックが起こった。悪意はなかったのだが、フェイクニュースの典型例として知られている。

新型コロナウイルス禍で多くのニュースが捏造された。新型コロナウイルスワクチンは従来のものとは異なり、人工的に作られたメッセンジャーＲＮＡ（mRNA）を使用して、細胞にウイルスのタンパク質を作らせる。すると免疫系がこのタンパク質に対する抗体や細胞免疫を生成し、免疫力を持つようになる。ところがmRNAワクチンは人間のＤＮＡを書き換えることにより、がんや不妊症などの病気を引き起こし、子孫に異常が生じるというフェイクニュースが広まった。しかしmRNAはＤＮＡが存在する細胞核に入ることができず、細胞質内でのみ機能するので、ＤＮＡに影響を与えることはない。

隠蔽と改ざんは本来の情報を変更して、虚偽の情報を作り出す手法である。例えば、１９９２年に当時のＮＢＣニュースが、ゼネラルモーターズ社のピックアップトラックの安全性に問題があると報じたが、その実験映像が改ざんされていたことが発覚した。

改ざんの深刻な例が、ある団体が障害者郵便制度を悪用して約１００億円の郵便料金の不正な割引を受けた２００９年の事件であり、この団体職員と団体を認定する文書を作成した厚労省職員が有罪になった。この事件を担当した大阪地方検察庁特別捜査部は厚労省元局長の指示があったとして逮捕したが、重要な証拠書類を担当検事が改ざんしたことが明らかになり、元局長は無罪になり、検事３人が逮捕されるという事件に発展した。

捏造の深刻な例が、２０２０年の大川原化工機事件だ。警視庁公安部は武器に転用できる噴霧乾燥機を中国に不正輸出した外為法違反容疑で大川原化工機の幹部３名を逮捕したが、初公判の4日前に突然、東京地検は起訴を取り消した。同社は賠償を求めて提訴し、その裁判で捜査に当たった警察官はこの事件が捏造であったことを証言した。

警察や検察という中立・公正であるべき機関のこのような不祥事は単なるフェイクのレベルを超える重大な犯罪である。

2. 相関関係と因果関係の混同

筆者（唐木）が学生時代に薬理学の講義で聞いたのは、「薄毛の人の大部分が養毛剤を使った経験がある。だから薄毛の原因は養毛剤だ」というフェイクである。携帯電話の使用が増えたことと脳腫瘍患者が増えたことが時間的に一致しているから、脳腫瘍の原因は携帯電話の電磁波だ、宍道湖でワカサギの数が激減した時期と、ネオニコチノイド系農薬を使いだした時期が一致するので、農薬がワカサギを減らしたのだなどのフェイクもある（第5章で詳述）。

相関関係があるからと言って因果関係があるとは限らず、科学的な根拠が必要であることを無視したフェイクニュースは少なくない。

3. 量と作用の関係の無視

詳細は第2章で述べるが、農薬や添加物の安全性試験には実験動物を使用し、明らかな毒性が出るまで投与量を増やしてゆく。こうして毒性が現れない無毒性量を決めて、これを基にして人間で安全な量を計算する。通常は実験動物での無毒性の1／100が人間での許容量になる。ところが、実験動物に大量を投与したときの毒性が、許容量以下を摂取した人間でも現れるようなフェイクニュースが広まっている。食塩を一度に200g摂取すると死ぬのだから、食塩は猛毒であり、禁止すべきという論理である。化学物質の作用は量で決まり、少量では無害だが大量であれば毒性があるという用量作用関係を無視した、あるいはリスクとハザードの違いを無視したフェイクニュースは後を絶たない。

4．科学の定説とは違う特定意見

科学とは仮説に始まり、それを繰り返して検証する作業である。遺伝子組み換え作物（GM）の商業栽培が始まってから4半世紀がたち、この間の多くの研究によりGMに発がん性がないことが証明されてきた。にもかかわらず、ラットにGMトウモロコシを食べさせるとがんができるという論文を発表して社会に混乱を与えた事件については第3章で取り上げる。

科学の世界でこれまでの科学の蓄積と全く違う結果が出たときにはほぼ100％間違いと考えて検証に入り、何度もの検証で確認されて初めて真実と認められる。かつては主流だった天動説が検証により覆されて地動説が認められたことはその例だが、当時に比べて科学が格段に進化した現在、例えば筋肉疲労の原因と考えられていた乳酸が実はエネルギー代謝の重要な役割を果たしていたなどの少数例を除いては、学界の定説が覆る例はほぼゼロである。

5．白黒判断と針小棒大

加工食品の品質や安全性は保存期間中に徐々に劣化してゆく。食品管理を簡便にするために、保存期間の参考値として賞味期限や消費期限を決めるのであり、それは大まかな目安に過ぎない。しかし、期限が切れた途端に危険と判断して廃棄する風潮が広がっている。

食パンから農薬が検出されたとか、毛髪から農薬が検出されたなどというニュースがあると不安になる。しかしその量は規制値をはるかに下回る微量であり、健康に被害を及ぼすことはない。にもかかわらず、それが食の安全を脅《おびや》かす大事件のように「針小棒大」に主張する。その動機はもちろん農薬反対運動への賛同者を集めるためである。

6．実現不可能な理想論

人間だけが理想を掲げてその実現に励む動物と言われるが、その実現は必ずしも簡単ではない。例えばフランス革命で掲げられた「自由・平等・博愛」はいまだに達成されていない人間社会の永遠の課題である。フェイクニュースの世界ではそのような高邁《こうまい》な理想ではなく、もっと身近で分かりやすい理想を掲げることが多い。例えば添加物や農薬や遺伝子組み換え作物は直ちに禁止すべきと主張するが、もしこれらを禁止すれば食料供給の不足により餓死者が増えることについてはなにも言わない。

7．論理の矛盾

健康被害が出ていないにもかかわらず添加物や遺伝子組み換え作物は危険だから廃止すべきと主張する一方で、多数の死傷者が出ている自動車の廃止は言わないことの論理的矛盾には目をつむる。

8．陰謀論

1969年7月20日のアポロ11号の月面着陸は捏造されたものであり、米国政府が大規模な陰謀を行ったものだ。2001年9月11日の米国同時多発テロは、米国政府と秘密組織が実行したものだ。米国モンサント社（現在はバイエル社）は遺伝子組み換え作物の種子を独占して、世界の農業を支配しようとたくらんでいる。プーチン大統領はすでに死亡し、現在いるのは複数の影武者であり、彼らを操る影の勢力が存在する。そんな面白い陰謀論がかなり広く信じられている。

9．不可知論・科学不信

「現在の科学では安全と言っているけれど、孫の時代になるとどんな被害が出るか分からない」。そんな議論もよく聞く。実例を一つ見つければ「あることの証明」は終わる。しかし実例が見つかっていないことは「ないことの証明」にはならず、これを求めることを「悪魔の証明」という。科学は完全ではないが、常に前進している。安全と言われたものが、安全とは言えなくなれば、その時点で新たな対策が取られる。科学を信じなければ、科学技術の時代を生きてゆくことはできないだろう。

フェイクニュースを拡散するためには、ネット検索の順位を上げるなどの技術的方法があるが、ここでは心理面からみた拡散の方法を述べる。

10. 危険情報重視の本能の利用

フェイクニュースを拡散する最も確実な方法は危険情報を重視する本能を利用することだ。だからフェイクニュースはほぼ100％が「危険」というもので、「安全」というフェイクニュースほとんどない。数少ない例が、政府と電力会社が長い年月をかけて作り上げた原発の「安全神話」だったが、これは福島第一原発事故で崩れた。

添加物、農薬、遺伝子組み換えなどの危険を誇張するフェイクニュースが拡散しているのに、けた違いにリスクが高い飲酒や過食に対するフェイクニュースが現れないのはなぜだろうか。その理由は三つある。一つは選択の自由だ。飲酒や過食は自分の選択だが、添加物や農薬は事業者が食品に入れたり、農地で生産者が使ったりするものであり、消費者の要求で入れているのではないという感覚だ。二つ目は、その結果、事業者は利益を得るが、消費者はリスクだけを負わされるという不公平感だ。三つ目は、消費者の利益が見えないことだ。飲酒や過食は楽しみのために多少のリスクは無視するのだが、添加物や農薬の利益は見えにくい。自分に利益がなければどんなに小さなリスクも拒絶するのが私たちの生存本能である。

11.「ゼロリスク」の主張

危険重視の本能の延長に、リスクはゼロにすべきという「ゼロリスク信仰」がある。しかしその実現は極めて難しい。例えば交通事故を無くすためには自動車を禁止すればいいのだが、すると社会経済活動に対する大きなリスクが生じる。その解決法が事故のリスクを減らす対策と、その対策がもたらすリスクの総和を最小限にする「リスク最適化」の考え方だが、これに対する理解が広まっていない。そのために「人命か経済か」などの分かりやすい白黒判断になりやすい。

新しい技術にゼロリスクを求める主張もある。蒸気機関車、電車、自動車、飛行機、新しい技術には必ず事故が伴った。そのリスクを小さくする努力をしながら、そのメリットによって社会は発展してきた。しかし、新技術に対してゼロリスクを求める風潮は今も変わっていない。最近の例ではマイナンバーカードの登録ミスという目先の問題を取り上げて、制度自体を否定する意見などがある。新技術にゼロリスクを求める主張は賛同を集めやすい。しかしそれは不可能であり、試行錯誤のなかでリスクを小さくするものであることが理解されていない。

12. 先入観と確証バイアスの利用

先入観とは、あるリスクを避けることができたという成功体験だが、実際には情報から学習した体験が多い。学習により、例えば添加物は健康に悪いという先入観が出来上がると、それと合致する情報だけを集めるようになり、合致しない情報は無視する、あるいは間違いと信じる確証バイアスに陥る。そのような先入観ができた人を「顧客」にして、添加物や農薬や遺伝子組み換え、あるいは原発やワクチンの危険を煽るフェイクニュースは出版物やネットに繰り返し現れている。

13. 画像での印象操作

2015年、南米コスタリカで撮影された鼻にプラスチックのストローが刺さったウミガメの写真が世界に広がり、「自然分解されないプラスチックは悪だ」として2018年に米ワシントン州シアトル市がプラスチック製ストローの使用を禁止した。シアトルが発祥の地である大手コーヒーチェーンのスターバックスは2020年までにプラスチック製ストローを減らすと発表し、欧州議会は2021年から使い捨てプラスチック製品を禁止する規制を実施した。発端となったウミガメの写真に疑問の声もあるが、いずれにしろ1枚の写真が世界を変えたのだ。

14．両論併記で真偽をあいまいにする

新聞に多い記事の作り方に、多くの論文の蓄積により作られた学会の定説と、これとは全く違う少数の考え方を並列して紹介する方法がある。両者の科学的な重みは全く違うのだが、記事を読む側から見ると、二つの考え方が同等であるように見える。一見、公平に見える取り扱いにより責任逃れをしながら、実は科学的に価値がない説を重要であるように見せかけるフェイクである。

15．利益相反を隠す

科学論文の世界では、科学の中立・公正を守るために利益相反を明確にすることが求められ、研究経費や給与の出所が厳しく問われる。利益相反が引き起こしたのが高血圧治療薬ディオバン事件だ。五つの医学部で臨床研究が行われ、ノバルティス社から総額11億円が支払われた。臨床試験の結果、ディオバンは非常に有効であることが示され、年間1400億円を売り上げる製品になった。しかし論文の内容に疑義が出され、論文の掲載が撤回され、厚生

労働省が調査を行った結果、ノバルティス社元社員が統計解析を不正操作するという利益相反が明らかになった。

そこで厚労省はノバルティス社を薬事法の誇大広告の疑いで東京地方検察庁に告発し、地検は元社員を逮捕した。地裁は「論文を学術雑誌に掲載したことが医薬品の広告になるとは言い難い」として無罪とした。厚労省は控訴したが最高裁で無罪が確定した。科学の世界の重大な不正でも、これを有罪とする法律がないのだ。ディオバンは現在も販売が続いている。

16. 言いっぱなしで検証しない

科学の世界では、間違いが明らかになったときには論文の取り消しなどの処分が行われ、科学者は責任を問われる。しかしフェイクニュースの世界では、それが嘘であることが証明されても情報を流した側が反省することはない。例えば添加物や遺伝子組み換え作物でがんが増えると宣伝している人たちは、「今は出ていなくても将来何が起こるか分からない」などという論理で、間違いを認めることはない。

17. 選択の自由の妨害

フェイクニュースを流す人たちは「唯我独尊」の態度をとる。例えば遺伝子組み換え作物は危険と主張する人たちはその栽培禁止を訴え、そのため日本では商業栽培ができない。他方、世界では多くの農家が遺伝子組み換え作物の経済的利益を享受している。日本でも栽培したい農家があり、また安価な遺伝子組み換え作物を購入したい人は多いが、そのような人たちの選択の自由は奪われている。その理由は、もし選択の自由を認めて遺伝子組み換え作物の商業栽培が始まれば、反対運動は一気に縮小することを理解しているためと考えられる。

18. 言論の自由の悪用

フェイクニュースを流す人たちの最後の言い訳は言論の自由である。しかし、自由は責任を伴う。明らかな虚偽を拡散して社会経済的な被害を生ずることに対する責任を負うことは、よほど極端な例を除いてはほとんどない。

19. レッテル張り

フェイクニュースに対しては当然反論がある。そして科学的な議論をすれば化けの皮が剥がれる。特に相手が科学者であるときには一般の人は対抗できないことが多い。そんなときに議論以外の手段を使って相手に勝つ方法がある。

最も広く使われる手段が印象操作により相手に不信感を持たせる方法で、レッテル張りとも呼ばれる。その目的は、議論する相手を論破することではなく、議論を聞いている人たちが相手の言うことを信じられなくすることである。政治的な議論や選挙の際には、相手候補に対して「リベラル」「保守」「極左」「極右」などの政治的なラベルを使って、相手を特定のイデオロギーに関連付けて否定的なイメージを与える。「人種差別」「排他主義」「外国人嫌い」「非国民」「不道徳」「うそつき」といったレッテルを使って悪いイメージを与えることもある。研究者を相手にするときには「上から目線」「政府の手先」「企業の手先」「御用学者」などのレッテルが使われる。

20. 神格化

レッテル張りは相手に対して行う印象操作だけでなく、自分の権威付けにも利用される。多く使われているのが医師、大学教授、専門家、○○分野の権威、○○の神様などの肩書や、米国の大学で働いているなどの経歴も、自慢や誇張のために使われる。多くの人が地位や経歴に敬意を払う心理を利用した戦術である。

21. 実力行使

フェイクニュースの正当性を主張するために、クレーム・実力行使・恫喝・訴訟で反対派をつぶすこともよく行われる。例えば、2000年代初めには各地の大学や研究所で遺伝子組み換え作物の試験栽培が行われていたが、これに対して新潟市では栽培禁止を求める訴訟が起こされた。また各地で遺伝子組み換え作物の栽培を規制することを求める運動が起こされて多くの自治体が条例や指針を作って厳しい規制を行い、遺伝子組み換え作物の研究はほとんど行われなくなった。

現在、ＪＲ東海によるリニア新幹線工事が進んでいるが、静岡県知事は南アルプスのトンネル工事で大井川の水が山梨県側に流れるなどと主張して、工事を止めるという異常な事態が進行している。

第2章

食のリスクをめぐるフェイクニュース

——無農薬、無添加、オーガニック

「発がん性」をめぐるフェイクニュース

六つの「誤解キーワード」

残留農薬や食品添加物、遺伝子組み換え作物など食品のリスクをめぐる報道に約40年間携わってきて、ようやく分かったことがある。それは、誰がどんな理由を挙げて煽るかという言論空間の生態図だ。その生態図の特徴は、皆の関心度が高い特異的なニュースに如実に現れる。

2023年7月14日、WHO（世界保健機関）の付属機関であるIARC（国際がん研究機関）が甘味料のアスパルテーム（砂糖の約200倍の甘さをもつ非糖質系甘味料。2種類のアミノ酸を結合したもの）を発がん性分類の「2B」（ヒトに対して発がん性があるかもしれない）にすると公表した。これを受けて、SNSの世界も含めて、さっそく「発がん性の人工甘味料はやはり危ない」といったニュースが飛び交った。

そして、同じ7月、中古車販売大手のビッグモーター（東京）の保険金不正請求問題が発覚した。全国の多くの店舗でグリホサートを成分とする除草剤が散布され、草や樹木が枯れていたことが分かると、「グリホサートはグループ2Aの発がん性物質。禁止すべきだ」といったニュースがSNSを中心に駆け巡った。

これらのニュースを見ると、ここ10年余り、残留農薬や食品添加物、遺伝子組み換え作物をめぐるニュースで常に見られる「誤解のキーワード」(フェイクニュースの特徴)がいくつかの項目にほぼ集約されることに気づく。

そのキーワードは、①IARCの発がん性分類の無理解、②グリホサートに関する誤解と訴訟の真相、③基準値と1日摂取許容量(ADI)の混同、④ネオニコチノイド系農薬に対する偏った見方、⑤不安を煽る学者・評論家・ジャーナリストと媒体の固定化、⑥毒性は「量」次第という概念を無視した報道の脅し手口、の六つだ。

この六つの誤解に対処する武器(理論)を示す。

まずは簡単に発がん性の分類に触れておきたい。農薬を敵視する人たちは、何かとIARCのグループ分類を持ち出し、「人工甘味料は発がん性物質だ」などと騒ぐ。だが、IARCの分類は、証拠がどの程度そろっているかを分類しているだけであり、実際に人の健康に及ぼすリスクを評価しているわけではない。このことを読み手が理解していれば、フェイクニュースにだまされることはない。

グループ分類の詳しい解説については、第4章を読んでほしいが、メディア生態図の観点から見て言えるのは、不安を煽る学者や評論家はいつも同じ顔ぶれで、いつも同じ言い方をしている点だ。

無添加を売りにするビジネス業界（一部生協も含む）がそういう言論を広めて支えているだけに、不安を煽るメディアは持続可能である。最近は、新聞が食品添加物などのリスクを煽ることはほとんどなくなった。記者の理解度が上がったためだろう。代わって煽っているのは週刊誌と一部個人のブログ、X（旧Twitter）などのSNSである。

科学的に誤った典型的な煽り記事

具体的な例を挙げてみよう。甘味料（人工、合成と天然に差はないので、あえて甘味料と表記）のアスパルテームがグループ2Bに分類されたことで、以前から一貫して食品添加物の危険性を煽ってきた渡辺雄二氏（科学ジャーナリスト）がさっそく東洋経済オンラインで「平気で『スーパーの弁当』買う人が見過ごす事実　アスパルテームは幅広い食材に使われている」（2023年7月21日付）との見出しで記事を書いた。

その記事で渡辺氏は「アスパルテームは、これ以下なら安全という量はない。微量であっても摂取し続ければ、遺伝子を変異させて、細胞をがん化させる危険性がある」などとトンデモ論を披露した。典型的な煽り記事である。記事は間違いが多く、その全てを指摘していると切りがないのだが、「これ以下なら安全という量はない」という完全に誤った説明に絞って反論したい。

結論を先に言えば、アスパルテームは「これ以下なら安全という量（専門用語で「いき値」という）が明確に定められている。

実は、IARCが発表したのと同じ日にWHOとFAO（国連食糧農業機関）の「合同食品添加物専門家会議」（JECFA）は、アスパルテームのリスク評価に関して、これまで通り、「1日摂取許容量（ADI）は40㎎／kg体重／日」と公表した。この数字は体重1kgあたり1日40㎎まで摂取しても健康影響はないという意味だ。これを体重60kgの人にあてはめてみると、1日あたり2・4g（60×40＝2400㎎）のアスパルテームを毎日、生涯にわたって取り続けても、健康への影響はないということになる。

1日あたり2・4gものアスパルテームを摂取する人はいないだろうが、この2・4gは、仮にアスパルテームが200㎎（0・2g）入っているダイエット飲料があるとすれば、1日あたり12本飲むことに相当する。この12本を毎日、生涯にわたって飲み続けても、健康に影響はないのである。さらに、厚生労働省の甘味料摂取量調査によると、日本人のアスパルテームの平均推定摂取量（2019年度）は1人1日あたり0・055㎎で、ADIの約5万分の1（0・002％）に過ぎない。ゼロに近いリスクと言ってよいだろう。

ここでぜひ知っておきたいことは、実際に食を介した人への健康影響を評価しているのはJECFAであり、IARCではないということだ。IARCは危害要因（ハザード）の中の発がん性しか検討せず、しかも公開された学術論文のみで議論している。一般に公開された学術論文は、何らかの健康影響を見つけたという結論の論文が、何も有意な差は見つけられなかったという論文よりも優先的に出版される傾向がある（いわゆる「出版バイアス」）。これに対し、JECFAは企業が行った非公開の研究データも含め、IARCよりもより信頼性が高く、広範囲の研究報告を見ながら、人が実際に摂取している量も含めて、人へのリスク評価を行っている。

人への影響を考える場合にどちらの情報が科学的に信頼できるかは言うまでもないだろう。

渡辺氏はJECFAのリスク評価に触れているが、最後は根拠もなく「予防原則に従って避けるべきだ」と不安を煽って締めくくる。普通に摂取していて危なくないものをなぜ避ける必要があるのか。聞こえのよい予防原則（第2章後半で詳述）の乱用である。

人は共感する話を簡単に信じてしまう

もう一つの記事例も挙げておこう。

いつものことであるが、人工甘味料を取り上げた週刊誌「女性セブン」(2023年8月3日号)は消費者問題研究所代表の垣田達哉氏と米国ボストン在住の内科医、大西睦子氏を登場させ、「人工甘味料の健康リスクは様々な調査や研究データが示しており、多くの医師や研究者が指摘してきましたが、WHOのような国際機関がその危険性を正式に認めたのは重大なこと。改めてその危険性について認識し、避ける努力をすべきでしょう」(垣田氏のコメントの引用)などと言わせた。不安を煽る記事に登場する評論家や専門家はいつも同じ顔ぶれだということをぜひ頭に入れておきたい。

東洋経済オンラインの記事で分かるのは、ちょっとした知識(ネットで調べればすぐに分かるような知識)を担当編集者がもっていれば、渡辺氏の記述はもっと正確になっただろう、ということだ。こういう不正確な記事を読まされて、間違った情報を信じ込む「情報被害」を被るのは読者である。まさか掲載されている記事に間違いが多いとは思っていないに違いない。

さらに言えることがある。東洋経済オンラインや女性セブンの編集者が渡辺氏や垣田氏のような主張に共感していることだ。編集者と評論家の共犯関係が誤解に満ちた記事を生み出す要因だといえるだろう。

もう10年以上前の話だが、ある地方新聞社の論説委員が「遺伝子組み換え作物に含まれる遺伝子が体内に蓄積し、孫の代にも影響する」といった記事を書いていた。すぐに問い合わせたところ、「学校給食を有機食品にするべきだという映画を製作したフランスの監督から聞いた話」と言っていた。学識のある論説委員でも、自分の気に入った話だと相手の話を即座に信じ込み「孫の代まで影響する」というトンデモ論を記事にしていたのである。そこにはいったん立ち止まって考える慎重さは見られない。

農薬や食品添加物、遺伝子組み換え作物の話題になると、非科学的な危ない話に共感して飛び付く記者は新聞社にもいることが分かる。

一方、人工甘味料は心疾患などとの関連も取り沙汰されている。同じ経済誌ながら、PRESIDENT Online（プレジデントオンライン）は、現役医師で『「健康」から生活をまもる最新医学と12の迷信』の著者でもある大脇幸志郎氏を登場させた。大脇氏は「人工甘味料に関する研究報告はいずれも確信度は非常に低いので、無視してもよい。アスパルテームの発がん性についても、何十年も食品に使われてきて、誰も気づかなかったほどの微妙な差があるかどうか、いまさらＩＡＲＣが評価することに筆者はあまり意義を感じません」（２０２３年７月15日付）などと書いている。これがおおかたの医師の共通認識だろう。

グループ2Bの真の意味

このアスパルテームに関して正しく知りたい場合、不安を煽るだけの記事を載せている週刊誌は全く役に立たない。やはり深い知識と見識をもつ本当の専門家に聞くのが一番良い。例えば、国立医薬品食品衛生研究所の畝山智香子・安全情報部長（薬学博士）がその1人である。残念ながら、科学的な事実を正確に話す畝山さんのような専門家は週刊誌からお呼びがかからない。「危ない」と言ってくれないからだ。

幸い、食品のリスクに関して科学的情報を発信している「FOOCOM.NET」が畝山さんのインタビュー記事をサイトに載せた（2023年7月26日付）。詳しくはそちらの記事を読んでほしいが、ポイントだけを記しておこう。

畝山さんによると、IARCがアスパルテームをグループ2Bにしたのは、ヒト疫学研究で人工甘味料入りの飲料の摂取と肝細胞がんの関係に限られた根拠（limited evidence）しかなかったためだという。つまり、人工甘味料以外に関与する要因が他にも存在する可能性があるため、その根拠となった研究報告の信頼性は高くはないという。今回、根拠とされた研究はアスパルテームそのものではなく、人工甘味料入り飲料の摂取を調べたものだという点も一般のニュースではなかなか分からない。つまり、疫学調査で弱い証拠しかなくてもIA

RCの判定では「2B」になってしまうのだ。

結局、畝山さんは「IARCの2Bは一般の人にとってはあまり意味がなくて、研究者に対してデータがないのでもっと研究しましょうという程度のものですが、皆の良く知っているものを取り上げて騒ぎにしようと意図的にやっている節があります」と述べている。

不安を煽りたい研究者によるリーク？

その証拠に、実はIARCが発表する前の6月30日、ロイター通信（英国ロンドンに本社を置く通信社）がアスパルテームに関して、「近く発がん性の可能性があると発表する」と先行記事を流していた。これは、IARCの中で人工甘味料の危険性にもっと注目を集めたいと思っているはずの誰か（おそらく研究者）が記者にリークしたのだと記者経験から推測できる。この記事を見て分かる通り、記者と組んでまで人工甘味料の不安を煽りたい研究者がIARCの中にも存在することがうかがえる。

その研究者は、IARCの発表と同じ日にJECFAが「ヒトへのリスクは従来と変わりません。ADI以下なら安全です」と発表するのを知っていた。同時に発表されたら、グループ2Bの発がん性というインパクトは弱まってしまう。つまり、同時発表だと実際のリスクは無視できる程度ということがバレてしまう。だから研究者は事前に記者にリークして、「発がん性」という文字を大々的に書かせたかったのだろう。

研究者と記者が組んで不安を煽る構図は、どこの国でもあるようだ。「遺伝子組み換え作物を食べるとがんになる」とラットの実験で発表したフランスの学者のセラリーニ氏のケース（第3章で詳述）でも、セラリーニ氏は事前に記者にリークしている。こういう例を見ていると、科学者だから中立で無色透明というわけではないことが分かる。

このような政治的な駆け引きを見ていると、科学の世界にも政治性やイデオロギーが入り込むことが分かる。IARCも例外ではない。

アスパルテームを審議したIARCの委員（IARCが主催する会議の委員で、常勤の職員ではない）は25人だ。その中には信頼性の低い動物実験でアスパルテームの発がん性を訴え、しばしば物議を醸してきたイタリアのラマツィーニ研究所（Ramazzini Institute）の研究員がいたり、市民活動家並みの正義感をもった研究者もいるという。テーマごとに集まるIARCの委員の構成自体にそもそも偏りがあるのだ。

ラマツィーニ研究所はラットやマウスの試験でアスパルテームに発がん性があると2度にわたり発表しているが、EFSA（欧州食品安全機関）は試験方法に欠陥があるとして常に否定してきた。ラマツィーニ研究所が行った試験結果をニュースで見たら、疑いの目をもって見たほうがよいと筆者2人は考える。ＩＡＲＣの常勤職員で20年にわたり、発がん性分類の評価事業（モノグラフ事業）を引っ張ってきたドイツの医師はいまもラマッツィーニ研究所の科学委員会に名を連ねている。また、ＩＡＲＣの委員の中にはラマッツィーニ研究所と関係の深い研究者もいる。こういう背景も頭にぜひ入れておきたい。

また、本来、ＩＡＲＣが食品中の物質のハザードを評価する場合は、ＷＨＯ本部の了承がいる。今回のアスパルテームに関して、なぜＷＨＯ本部が了承したかについては、政治的な動きもあるようだ。ＷＨＯ本部の食品安全部は２０２０年に栄養部に吸収され、栄養食品安全部となった。このため、食品安全に対する考え方が従来とやや異なるようになったという背景も知っておく必要もあるだろう。

ＷＨＯは２０２３年5月、「非糖質系甘味料は体重管理や肥満予防に役立つ手段ではない」と勧告した。ＩＡＲＣによるアスパルテームの評価をＷＨＯ本部が容認した背景には、純粋な食品安全（公衆衛生学的なリスク評価）よりも栄養を重視する傾向が強くなっているようだ。そういう意味ではＩＡＲＣがアスパルテームを悪者に仕立ててくれたことはＷＨＯにとっては渡りに船だったのではと指摘する専門家もいる。

このあたりの事情は日本の週刊誌報道にも見られる。アスパルテームなどの食品添加物を悪者に仕立てて週刊誌に登場する一部の管理栄養士のことである。

ＩＡＲＣやＷＨＯと聞くと、どことなく政治とは無縁の中立的な機関にみえるが、実際はそうとも限らない。もちろん、IARCの役割を一概に否定するものではないが、テーマによっては、どろどろした政治的な争いに似た動きが繰り広げられることがあることも知っておきたい（2023年9月26日に行われた「食の信頼向上をめざす会」（唐木英明代表）主催セミナー、食品安全委員会のホームページ「アスパルテームに関するQ&A」参照）。

比較的冷静な日本の報道

では、アスパルテームに関して、日本の新聞はどう報じたのだろうか。

読売新聞と毎日新聞は内容の薄い地味な扱いだった。産経新聞は共同通信社の配信記事を載せ、「IARCは発がん性の可能性があるとの見解を示した。特に肝臓がんを引き起こす可能性について懸念を示した」などと報じた（7月15日付）。日本経済新聞は「発がん性可能性、『根拠は限定的』WHO、人工甘味料巡り　専門家『説得力足りず』」（7月15日付）との見出しで冷静に報じた。

NHKはIARCの担当者の言葉を引用して「今回の発表は発がん性の可能性をより明確にするための研究者への呼びかけだ」と報じた。この指摘は、国立医薬品食品衛生研究所の畝山さんが指摘した「グループ2Bの意味は、研究結果の信頼性が低いのでもっと研究しましょうという程度のもの」という解説と符合する。

こうした様々な報道を見ると、同じＩＡＲＣの中にも、記者にリークする研究者もいれば、的確に本質をとらえてコメントする研究者もいることが分かる。残念なのは、ＮＨＫが的確なコメントをしたＩＡＲＣの担当者の名前を報じていないことだ。誰が言ったかは読者にとって貴重な情報源である。これは他にも言えるが、会見時の模様を報じる場合は必ず発言者の名前を記すべきだろう。

記者の力量が記事の「質」を左右する

筆者（小島）から見て、出色のニュースを届けたのは朝日新聞（7月15日付）だった。3段見出しの言葉は「発がん性　一般的量なら懸念なし」で、すぐ横の2段見出しの言葉は「日本人　許容の0・01％未満推定」だった。本文を読むと、大村美香記者ら2人が「アスパルテームの『2Ｂ』は鉛や漬けもの、ワラビと同じ分類で、発がん性の強さや、がんが発生する可能性の高さを示しているわけではない。日本人の1日あたりの推定摂取量は摂取許容量の0・01％未満に過ぎない」などと科学的事実を正確に報じた。

朝日新聞のこの記事で最も良い点は、「摂取量」と「健康影響」の関係をしっかりと数字を挙げて説明したことである。実際の摂取量が1日摂取許容量の100分の1（1％）以下だと分かれば、中学生でも健康影響がないことを理解できる。

ひと口に言論機関といっても、一部の週刊誌のように不安を煽るニュースがあるかと思えば、今回の主要新聞のようにおだやかな論調まで幅広い。最近の新聞界で進む「分断」の構図は第7章を読んでほしいが、このアスパルテームの記事を見て分かる通り、記者の力量（科学的知識を駆使する思考力）によって、記事の質に大きな差が出てくることが分かる。大村美香記者のような科学ベースの知識をもつベテラン記者が書くと、読者の判断材料に役立つ良質の記事が生まれるという好例でもある。

記者の知識不足や思考の習性（癖）が悲劇を生む話は、BSE（牛海綿状脳症）や子宮頸がん予防ワクチン（HPVワクチン）問題で際立った。その詳細は第6章を読んでほしい。

記者の力量と言えば、ビッグモーターの除草剤散布問題に関して、ジャーナリストの猪瀬聖氏（元日本経済新聞記者）は、除草剤のグリホサートに関して「IARCは発がんの危険性を示す5段階評価で危険性が2番目に高いグループ2Aに分類した」（2023年8月2日付Yahoo! ニュース）などと書いた。「危険性が2番目に高い」は全くの誤りだ。猪瀬氏は以前から農薬や遺伝子組み換え作物などの危険性を煽る記事を書き続けている。筆者にとっては「またまたおかしなことを書いているな」と思うだけの記事なのだが、こと発がん性のグループ分類の説明に関しては、朝日新聞が「グループ分類は発がん性の強さではなく、根拠の確からしさだ」（7月15日付）と正確に書いているのと比べると、猪瀬氏の記述は明らかに間違いだ。いったい、編集者は原稿のどこをチェックしているのだろうか。

ちなみに、アスパルテームとの関連性が指摘された肝臓がんが気になる方は国立がん研究センターのサイトを見るとよいだろう。どのがんがどのような原因で起き、どんな予防をすればよいかがある程度分かる。それを読むと「肝臓がんの発生には、B型肝炎ウイルスやC型肝炎ウイルスの感染、アルコール性肝障害、非アルコール性脂肪肝炎などによる肝臓の慢性的な炎症や肝硬変が影響している。2000年以降、男女とも罹患率、死亡率は減少傾向が見られる」などの説明がある。アスパルテームのような甘味料を避けましょうといった内容は全く出てこない。要するに肝臓がんを予防したいなら、甘味料ではなく、ウイルスの感染やアルコールの飲み過ぎなどに気を配るほうがよいということだ。

消費者をだます「脅し」手口

消費者を不安にさせる記事の手口を知っておくことも大事だ。週刊誌はしばしば「パンなどの食品から農薬が出た」といったように、「出た」（検出された）ことで大げさに記事を作る。

例えば、週刊新潮はかつてハチミツ製品から除草剤のグリホサートが基準値を超えて検出されたと大々的に報じたことがある（2021年10月14日号）。しかし、その検出量はごくごく微量で、健康への影響は全くない量だった。なんと、毎日1000kgのハチミツを食べ続けても、健康に影響がない量だったのである。この問題は、結局まだ食べられる大切なハチミツ製品が大量に廃棄されただけに終わった。

ある物質が「ある」か「ない」かで作られた記事は要注意だ。人が実際に摂取している正確な「量」を隠して、「危ない物質が見つかった」といって脅す手口だからだ。

この基準値と1日摂取許容量（ADI）と健康影響の問題は、この章の後半でさらに分かりやすく解説する。ここでは、メディアの生態図として、先に例を挙げた週刊誌のような、不安を煽るニュースは「量」を隠して脅す、という手口を覚えておきたい。

これは要するに、不安を煽るストーリーに合わない安全な事実は伏せるという手口である。筆者（小島）は常々、偏った記事は検察官の供述調書とよく似ていると思っている。数々の冤罪事件で無罪を勝ち取り、無罪請負人との異名をもつ弁護士の弘中惇一郎氏が最新の著書『特捜検察の正体』（講談社現代新書）で次のように述べている。

「検事は自分の描いた筋書きに合致した話しか受け付けない。検察にとって都合の悪い話は排除される。事情聴取でいくら被疑者が『それは違います』と言っても、供述調書には反映されない。それが冤罪を生み出していく」(筆者が要約)

皆さんもぜひ『特捜検察の正体』を読んでほしい。検察の誘導尋問と記者の誘導取材がよく似ていることが分かるはずだ。記事を読むときは、「この記者はいったいどういう意図でこのストーリーを描いたのだろうか」と考えてみるのも、記事の偏りを見抜くうえでおもしろい。

話を甘味料に戻そう。甘味料のアスパルテームがグループ2Bになったことで、またも米国で訴訟ビジネスが勃発することが予想される。「またも」と書いたのは前例があるからだ。2015年に除草剤のグリホサートがグループ2Aになったことで米国ではすさまじい訴訟が勃発した。IARCのグループ分類が結果的に訴訟ビジネスに手を貸したと見られてもしようがないケースである。その驚くべき真相は詳述した第4章でたっぷりと堪能していただきたい。

今後、アスパルテームを使った飲料やアスパルテームを製造・販売する大手食品会社を相手に、「巨額の賠償金をもぎ取るチャンス」とばかりに嗅覚鋭い米国の弁護士たちが虎視眈々と訴訟を狙ってくるだろう。目が離せない。

PFAS訴訟で驚愕の和解金

米国の集団訴訟といえば、泡消火剤や防水服、半導体の製造などで幅広く使われている有機フッ素化合物のPFAS（パーフルオロアルキル化合物及びポリフルオロアルキル化合物を総称して「ピーファス」と呼び、1万種類以上といわれる）をめぐって、2023年6月、驚愕のニュースが飛び込んできた。米国の工業製品・事務用品大手のスリーエム（3M）が飲料水に含まれるPFAS汚染の責任を取る形で最大125億ドル（約1兆9000億円）の和解金を払うことで合意したというニュースだ。集団訴訟では過去最高の金額のようだ。賠償金は水質調査や除去設備などに使われる予定で、個人が高額の賠償金をもぎ取るのとはやや異なるが、いずれ日本でも大きな問題になる可能性がある。

いまのところ、日本国内では有機フッ素化合物で健康被害が生じたという事例は発生していない。人の健康にどう影響するのか科学的にはよく分かっていないことが多く、現在、内閣府食品安全委員会がPFASのリスク評価を行っている。

すでにスリーエムは2025年末までにPFASの製造から撤退すると表明している。PFASの一部は半導体の冷媒に欠かせないだけに、あまりにも規制を厳格化すると半導体の製造自体が行き詰まってしまうという恐れも強くなっている（『半導体有事』湯之上隆著）。半導体を制する者が世界を制する。そういう意味からも、ＰＦＡＳの規制の行方は大注目だ。

新たな無添加・無農薬政党の出現

言論空間のゆがみとはやや異なるが、ここ最近、とても気になる現象が起きている。無添加・無農薬を掲げる参政党の出現だ。２０２０年に結成されたばかりの政党だが、結党２年後の２０２２年夏の参議院選挙で全国比例で１議席を獲得した。驚いたのは約１７７万票もの得票だった。筆者が住むところ（千葉県白井市）でも新人女性が参政党から立候補した。そのチラシの文句を見て度肝を抜かれた。

「農薬や食品添加物、遺伝子組み換え、ゲノム編集作物などで食の安全が脅かされています。学校給食には地元の有機野菜や自然栽培のものを使うように、みんなで声を上げていきましょう」

女性は上位当選を果たした。無添加・無農薬の訴求力は抜群のようだ。

参政党の重点政策をネットで見ると「化学的な物質に依存しない食と医療の実現、農薬や肥料、化学薬品を使わない農業と漁業の推進」をうたっている。人の命を救っている医薬品が化学物質であることを知らないのだろうか。

参政党の代表者たちが選挙でどんなことを言っていたかを詳しくレポートした作家で評論家の古谷経衡氏の寄稿（2022年7月11日付 Yahoo! ニュース「参政党とは何か？『オーガニック信仰』が生んだ異形の右派政党」）はとても参考になる。代表者たちは、食品添加物を白血病などのがんと結びつけ、人工甘味料もダメと訴えたり、コンビニ弁当や電子レンジで温めた食品を「毒」呼ばわりしたり、コロナワクチンを打つと免疫が下がると言うなど、これまで聞いたことがないようなトンデモ論を訴えていた。

驚くべきことに、選挙戦では反農薬運動や反遺伝子組み換え闘争の先頭に立つ鈴木宣弘・東京大学教授（元農水省官僚）やジャーナリストの堤未果氏（夫は立憲民主党の川田龍平氏）も参政党の動画やイベントに登場して持論を吐いていた。参政党は右派的な国家観をもち、立憲民主党とは目指す政治社会は異なるはずだが、有機農業をたたえ、無添加・無農薬、反遺伝子組み換え・反ゲノム編集では一致するようだ。全く奇妙な連携だが、一般の人にとっては、無添加・無農薬という美しいスローガンが受けるのだろう。

参政党の理論的なリーダーの1人（参政党外部アドバイザー）とされる吉野敏明氏（西洋医学では治療が難しい包括治療を行う歯科医師）は雑誌『ルネサンス』（2023年1月発行・ダイレクト出版）で次のように書いている。

「禁煙は進んだのに肺がんの死亡者は増えている。たばこが原因かどうか分からないどころか、関係があるかどうかも分からない。がんは食源病であり、乳製品などタンパク質の過剰摂取ががんをつくる。ナッツ類には発がん性の強いアフラトキシンが含まれる。ピーナッツやアーモンドが体によいと言って食べている人にがんは多い。酒やたばこは健康によくないかもしれないが、それよりもはるかに毒性の高い食品添加物を排除しなければなりません」（筆者が要約）

科学的常識から逸脱した主張だが、それでも信じてしまう人がいるかもしれないので、簡単に解説する。肺がんの死亡者が増えているのは事実だが、その大きな理由は、禁煙が進むとともに高齢化社会が進み、長生きする人が増えたためだ。そもそも、がんは高齢者に多い。ただし、高齢者の多い国と少ない国をそのまま比べても正しい数字は出てこないため、年齢構成を調整して死亡率を計算すると日本では、肺がんの死亡者数は1995年をピークに低下している。いくら禁煙が進んでも、その効果が現れるのは30年後という事実も、死亡者の増加を説明する要因といえる（中外製薬のサイト、岸一馬・東邦大学医療センター大森病院教授監修の「おしえて 肺がんのコト」参照）。医師である吉野氏がこのような医学統計の基礎知識を知らないはずはないと思うが、どうみても読者をミスリードする内容である。ここでも、こういう言説に共感する雑誌編集者がいることが分かる。

こういう記事こそフェイク情報に近いと思うがどうだろう。半フェイクだから放っておいても、いずれ縮小していくだろうとたかをくくってはいけない。なぜなら、国の農林水産省までが2021年から「みどりの食料システム戦略」で有機農業の拡大を推進しようとしているからだ。それと歩調を合わせるかのように参政党を支持する人たちは有機食品を学校給食に取り入れようと奮闘している。

そうなると学校給食の有機化を進める市民運動の現場では、国と参政党と立憲民主党、そして元農水大臣の山田正彦氏や鈴木宣弘・東京大学教授らの集団が「有機」という共通項で手を組む接点が出てくる。これまで見たことがない異様な光景の出現である。

単に有機農業が普及するのであれば何の問題もないが、有機思想には多くの場合、科学やバイオテクノロジーを軽視する無添加・無農薬・反遺伝子組み換え作物の思想がセットで組み込まれている。最近の参政党は内紛が起きているようで当初の勢いに欠けるが、このまま参政党の支持者が増えれば、今後、ますます無添加・無農薬思想が吹き荒れることも予想される。それに農水省が手を貸す。全く奇妙な連合体の誕生である。

非科学的なニュースは今後も増えるだろう。誤解のキーワードを読み解く作業はますます重要になる。

安全を見極める基本方程式

「1日摂取許容量」の求め方

それでは、残留農薬などの安全性をどう考えればよいかを解説しよう。

化学物質の安全を守る原理は簡単だ。「大量なら有害、微量なら無害」という「用量作用関係」を利用して、健康に被害がないところまで量を下げることである。ところが、これを実際に応用しようとすると、大変な作業が必要だ。

具体的には、ある化学物質について、実験動物に確実に毒性が出るまで投与量を増やしていく。様々な濃度の結果から何の有害作用もない「無毒性量」を推定する。これに「安全係数」をかけて、「1日摂取許容量（ADI）」を求める。安全係数はヒトと実験動物の種差を10、ヒトの性差、年齢差などの個体差を10として、これらを掛け合わせた100を使う。例えば無毒性量が1mgの場合には、その1／100の0・01mgが1日摂取許容量になる。

1日摂取許容量は「生涯にわたって毎日摂取し続けても健康への悪影響がない量」である。

これは化学物質が細胞に作用することができる限界値である「いき値」とも考えられている。ここまでが内閣府食品安全委員会の仕事であり、1日摂取許容量は厚生労働省や農林水産省に通知される。

厚生労働省はその化学物質を食品添加物として使用する食品を全て同時に食べても1日摂取許容量を超えることがないように、食品ごとに使用基準や残留基準値を設定する。農林水産省も残留量が1日摂取許容量を超えないように作物ごとに農薬の使用基準を決める。従って食品ごとの基準値は1日摂取許容量をはるかに下回る値であり、私たちが実際に食べる食品添加物や残留農薬の量は1日摂取許容量よりずっと少ない。

化学物質を安全に使うための方法はかなり難解で、よほどの知識がない限り簡単には理解できない。するとそこにフェイクニュースが現れる。例えば実験動物に大量の化学物質を投与したときの毒性が、その何万分の1しか摂取しない人にもそのまま現れるかのように主張する。

人間の本能的な判断は「安全か、危険か」の二分論である。そうしないと逃げるか、逃げないかを決めることができないからだ。化学物質があるか、ないかは直感的に分かりやすい二分論であり、多くの人が信じやすい。他方、用量作用関係はどこから危険でどこから安全なのかが分かりにくいため、理解されずに無視されることが多い。

化学物質の量と作用の関係を理解することは生活の役に立つだけでなく、フェイクニュース対策にも役に立つ知識である。塩も砂糖も量で味が変わることは誰でも知っている。化学物質の作用も全く同じであることを、ぜひ理科の授業などでしっかり教育してほしい。

緩和された基準だけを取り上げる

厚生労働省は2017年に除草剤グリホサートの残留基準値を引き上げた。小麦は5・0ppmから6倍の30ppm、ライ麦が0・2ppmから150倍の30ppm、トウモロコシが1・0ppmから5倍の5ppm、そばも0・2ppmから30ppmへと150倍に緩和された。世界中で規制が強化されているのに、日本だけは米国の圧力で規制を緩和して国民の健康を無視している。そんなフェイクニュースが広がっている。

確かに基準値は変更されたのだが、その内容はそば、小麦、なたねなど33品目が緩和され、逆にえんどう、いんげん、きのこ、肉類など35品目は厳格化され、その他の102品目は変更されていない。そもそも作物ごとの基準値は1日摂取許容量の範囲内であり、全ての作物を同時に平均的な量を食べても1日摂取許容量を超えないように設定されている。

図表1／1日摂取許容量とは

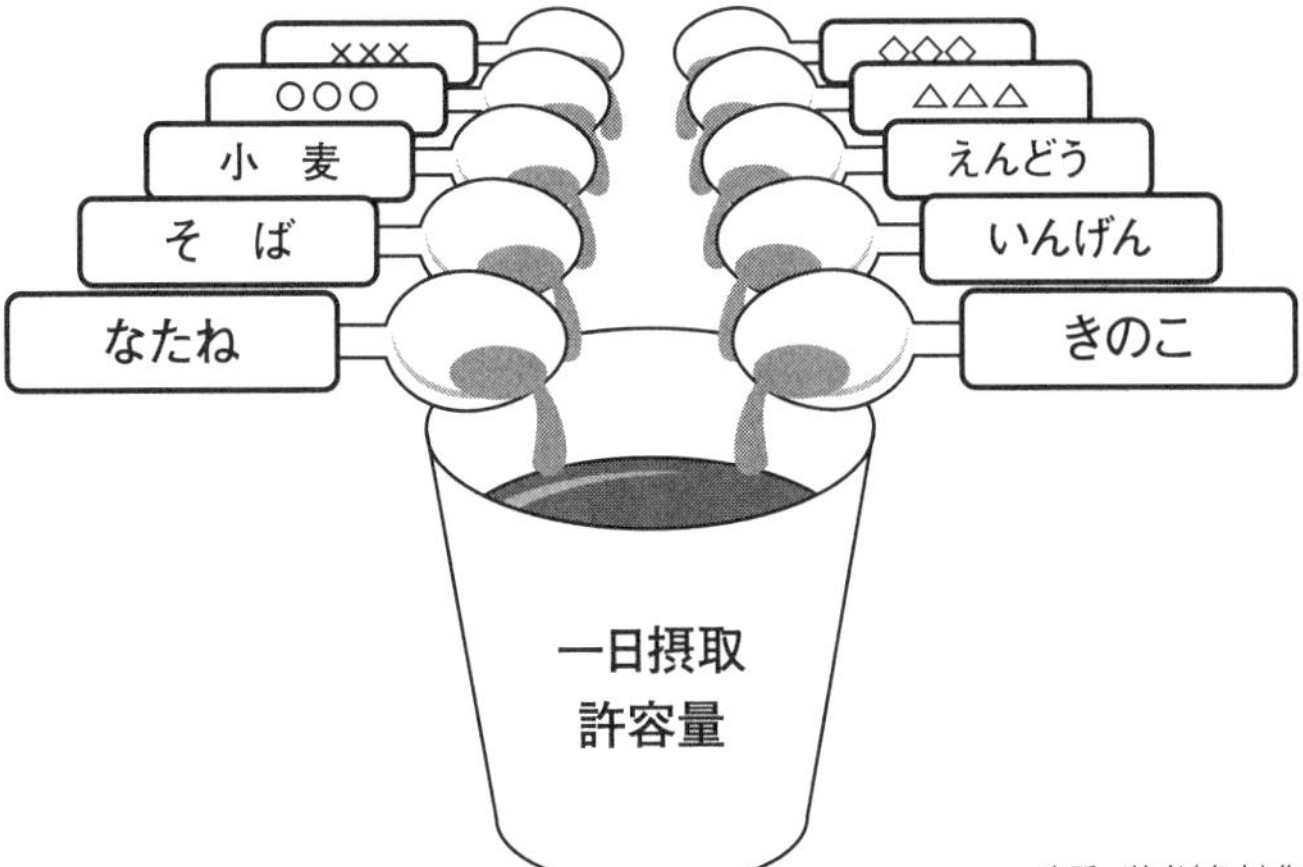

出所／筆者（唐木）作成

言い方を変えると、1日摂取許容量はコップであり、作物ごとの残留基準はコップに水を入れるスプーンだ。全ての作物のスプーンでコップに水を入れても、絶対にあふれ出ないように、スプーンの水の量を決めている。一部の作物のスプーンの水の量を変更しても、コップの容量を超えない限り、健康に影響はない。緩和されたものだけを取り上げて不安を煽ることもフェイクニュースの常とう手段だ。

複雑な「いき値」問題

どんな化学物質にも、それ以上なら有害、それ以下なら無害という「いき値」があり、

図表2／用量作用関係といき値（1日摂取許容量）

○化学物質が細胞の受容体に結合すると作用が現れる○受容体は水車で化学物質は水の関係○水量がいき値に達するまで水車は動かない○いき値を超えると水量に比例して水車は回り始める○化学物質の規制値はいき値よりはるかに少量だから規制値を多少超えても作用は出ない

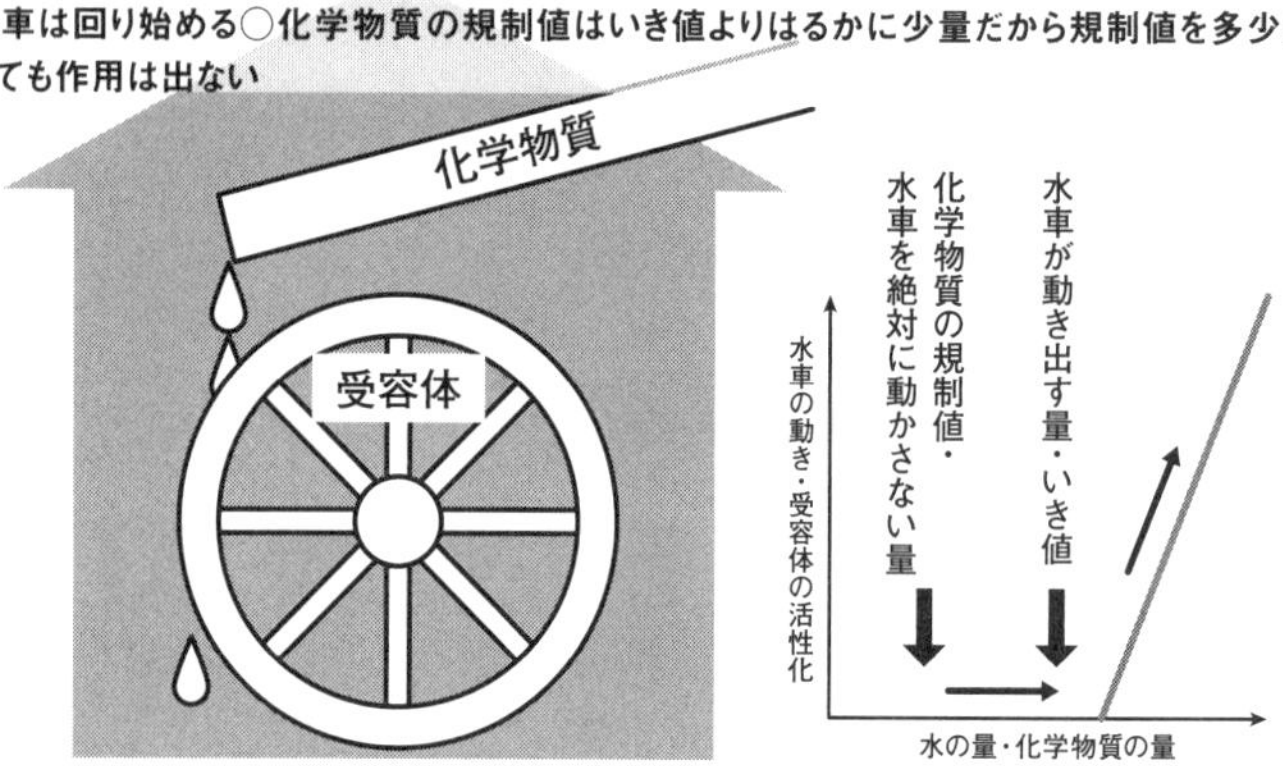

出所／筆者（唐木）作成

それ以下の無害な量を使用することで化学物質の安全を確保している。ところが、遺伝子に傷をつける発がん性化学物質（専門用語で遺伝毒性のある発がん性物質という）や放射性物質はゼロリスクの要望に応えて、行政上の措置としていき値がないことにしている。

科学的には遺伝子は自己修復機能を持ち、多少の傷は自分で治してしまう。だから微量の放射性物質によるわずかな傷が問題を起こすことはない。ということは放射性物質にも現実にはいき値があるのだが、これを実験動物で確定することは難しい。そこで、できる限り安全側の措置を取るという配慮から、いき値がないと仮定してリスク管理を行っている。同じ考え方で、遺伝子に悪影響を与える化学物質は農薬としても食品添加物としても全面禁止になっている。

と言っても、微量分析法が発達した現在は極めて微量の化学物質も検出できる。そのなかには発がん性化学物質があるので、その食品は規制違反のため回収、廃棄にしなくてはならない。しかしそのような微量で身体に影響が出る可能性はない。この問題を解決するために「検出されない」という規制を読み替えて、「あらかじめ決められた定量限界以下」の微量はゼロと解釈している。

危険情報をビジネスにする評論家の中には、発がん性化学物質が一分子あっても、遺伝子の変異が起こり得るなどというフェイクニュースを広げている。しかし国立環境研究所によれば大気や河川などには多種多様な化学物質が排出され、その一部は発がん性である(3)。だから空気にも水にも食品にも微量の発がん性化学物質が含まれている。さらに野菜や果物には天然の発がん性化学物質が含まれていることはよく知られている。評論家の言う通りであれば、私たちは一人残らずがんになるはずである。

また、体内に蓄積する化学物質は添加物としても農薬としても使用することが禁止になっている。保存料を毎日食べていた人の遺体は腐敗しないなどというフェイクニュースがあるが、体内に蓄積するような保存料が存在しないことを知らない人が作った話だろう。

添加物や農薬に対する不安が消えない理由の一つは、このような安全を守る仕組みが複雑

(3) https://www.nies.go.jp/kanko/kankyogi/56/10-11.html

なためすぐには理解できず、簡単明快な危険論を信じてしまうためである。

基準値をめぐるフェイクニュース

1日摂取許容量や使用基準についても、自然と人間を少しなら汚染してもいいというお墨付きというフェイクニュースがある。危険な化学物質は全面禁止にすべきという主張であり、ゼロリスク論の典型だ。しかし現実にはそれは不可能である。例えばマグロに含まれる水銀は海水中に自然に存在する水銀が濃縮したものであり、コメや野菜に含まれるカドミウムは火山国の土壌に多く含まれる天然の重金属である。だから水銀やカドミウムの1日摂取許容量をゼロに設定すると、これらの食品は流通できなくなる。1日摂取許容量は汚染のお墨付きではなく、天然の有害物質を含む食品を安全に食べるための指標である。

化学物質の安全性試験についての批判もある。現在は、長い試験では実験動物の一生と、親に与えた化学物質が子どもに影響するのかを観察する2世代試験を実施している。これに対して、孫やひ孫やさらにその先の代になってから恐ろしい有害作用が出るかもしれないという心配をする人もいる。喫煙やアルコール、水俣病の有機水銀中毒、睡眠薬のサリドマイドによる奇形などのように、親が摂取した化学物質の悪影響が子どもに現れることがある。しかし、そのような作用は、現在行われている2世代試験や遺伝子の検査で発見できる。科学は完全ではないが日々進歩し、新たな問題が起これればそれに対処する方策を作り出している。

添加物には、歴史的に長年使用されてきた天然添加物（既存添加物）がある。例えば金、銀、香辛料抽出物、しらこたん白抽出物、オレンジ色素、トウガラシ色素、ブドウ果皮色素、ベニバナ赤色素、木灰、卵黄レシチンなど350種類以上である。

長年使ってきた天然の物質なので安全性に問題はないのだが、ターゲットにされたのがアルミニウムで、アルツハイマー病の原因というフェイクニュースが流されて、アルミの食器が売れなくなったことがある。

ただし、安全性の問題で見直しになった例が万葉集にも登場する植物のアカネから作ったアカネ色素である。何百年もの間、食品や衣類の染色に使われていたのだが、新たな試験で発がん性の可能性が判明して添加物から削除された。長い食経験からリスクは小さいと考えられるものも安全性を確認して、少しでも疑問があるものは削除しているのだ。

保存料が危険というフェイクニュースを信じる人が多く、保存料を使わずにしらこたん白抽出物をその代用として使用する食品が増えている。すると今度はしらこたん白抽出物がアレルギーや喘息を起こすというフェイクニュースも流されている。さらに、甘味料のステビアは妊娠障害を起こす、コチニール色素は遺伝子に異常を起こすなどのフェイクニュースもある。コチニール色素は昆虫から抽出されたものだが、それを聞いて「気持ちが悪いから食べない」という意見もある。個人的な好き嫌いと安全性は分けて考えなくてはいけない。

ゼロリスクの口実に使われる「予防原則」

明らかなリスクが存在するときにはリスク管理策を講じる。他方、リスクが存在するというかなりの理由があるが、科学的に十分な根拠が得られていない段階であっても、その結果が極めて重大である場合には対策を実施することがある。それが予防原則である。

予防原則には対策費が無駄になるかもしれないという問題点がある。温暖化を例にすると、化石燃料の制限や再生可能エネルギーへの転換など大規模な経済的変革と多額の投資を必要とする。しかし投資が直ちに利益となって還元されることはない。将来温暖化が起こったときには先行投資になるが、もし起こらなかったときには無駄になる。もう一つの問題は科学的根拠がどの程度そろったら決断するのか、その見極めである。温暖化については科学的根拠が蓄積し、暑い夏を迎えて私たちの実感も温暖化を認める方向に進んでいるが、一部にはいまだに反対がある。

予防原則の実施は極めて慎重な検討が必要なのだが、これをゼロリスクの口実に使う例が後を絶たない。例えば添加物や農薬は孫の代に恐ろしい被害を及ぼすかもしれないから、予防原則に則って全面禁止にすべきだなどという主張がある。そして、それは必ず起こるのだから対策費は無駄にならないとも主張する。しかし、そのような主張を裏付ける科学的根拠は何もない。すると予防原則は科学的根拠がないときでも実施するものだと主張する。これでは議論にならない。予防原則の発動は高度の政治判断と言える。

ゼロリスクの夢

ゼロリスクかウィズリスクか

人間は自分の命を守るための生存本能を持つ。恐怖も不安も痛みも飢餓も疲労も命を守るための感覚である。そして全ての人が完全な安全、すなわちゼロリスクを求める。当然の欲求だが、これを実現することは可能だろうか。

リスクの中で最も大きなものが死亡リスクだ。厚生労働省の人口動態統計によると、日本では2019年に138万人が死亡している。大部分が病院、自宅、老人施設などで病気や老衰で亡くなったのだが、それ以外の死も3万9000人ある。自殺が約2万人、交通事故死が約3000人、そして自然災害、転落、溺死、火災、殺人などが含まれる。食品が原因の死者は4人である。

リスク管理の原則は、リスクの大きさに対応した対策をとることだ。すると、最も対策を必要とするのが病気の予防と治療、そして生活の維持である。そのための2022年度社会保障関係予算は33兆円（厚生労働省所管の一般会計総額）と国の予算の1／3を占める高額であり、そのうち年金が13兆円、医療が12兆円、福祉等が5兆円、介護が3兆円などである。交通事故についても道路や信号の整備、自動運転などの自動車の技術改善、交通事故の被害者救済などに多額の予算が使われている。

いくらゼロリスクを願って多額の予算を付けても、病気や老衰、自然災害や事故、犯罪をゼロにすることができないことは多くの人が知っている。しかし、もし自動車を禁止すれば自動車事故はゼロにすることができる。2020年には30万件の自動車事故があり、36万人が負傷し、3000人近くが死亡した。こんな危険なものをなぜ社会が容認するのだろうか。それは自動車には大きなメリットがあるからだ。自動車を禁止にすればヒトとモノの移動手段がなくなり、社会は大きな混乱に陥る。リスクとメリットを比較したうえで、これだけの犠牲者を出してもなおメリットのほうが大きいと多くの人が感じているため、自動車禁止運動はない。

同じように、化石燃料の使用を止めることで地球環境を守ることができる。原発や農薬や添加物を止めることでリスクを減らして不安をなくすことができる。その結果、エネルギー不足で食料生産も流通も不足して食料の奪い合いで暴動から戦争が起こり、多数の人が死ぬという別のリスクが大きくなる。それではどうするのか。

その答えは明らかで、社会を正常に保つためにゼロリスクの夢を棚上げにして、ある程度のリスクを受け入れる現実的な生き方をすることである。多くの国がゼロコロナは不可能と判断してウィズコロナ政策をとっているのと同じ理由だ。問題はどの程度のリスクまで受け入れるのかについての社会的同意の形成だが、そのために必要なことはリスクの大きさを科学的に判断してリスク最適化を実施することだ。

食品を例にすると、その安全を脅かす危害要因は食中毒菌、ウイルス、寄生虫、そして添加物、農薬、放射性物質などの化学物質である。これらの要素の多くが天然、自然の食品に含まれるが、添加物と農薬は食品の生産や加工のために使用する。またGM作物はアレルギーを起こす物質を含む可能性が懸念される。

「安全な食品」とはこれらを含まないものだが、天然自然の食品に含まれる危害要因を完全に除去することは難しく、これを避けようとするとその食品を禁止するしかない。他方、添加物や農薬を使わないことは可能であり、実際に無添加や無農薬の食品が存在する。しかし、それらが少数にとどまるのは、添加物がなければ加工食品を作ることはできず、農薬がなければ農産物の収量が低下して安定供給ができないからである。

交通事故と食品を一緒にするなという声もある。毎日食べる食品だけはゼロリスクにすべきという考え方だ。それでは食品安全の世界では実際に何が起こっているのだろうか。20

22年度の統計値を見ると962件の食中毒事件が起こり、6856人が食中毒になり、5人が死亡している。その内訳は細菌、ノロウイルス、寄生虫などである。原因物質の中に化学物質という項目があるが、その大部分は魚肉に含まれるヒスチジンが細菌の働きで作られたヒスタミン中毒であり、残りは漂白剤などを誤って飲んだものである。

発生場所は飲食店がもっとも多く、次いで家庭である。もちろん飲食店でも家庭でも食中毒の予防に努力している。医療が発達したため、戦後の混乱期には年間数百人いた食中毒による死者はその後急速に減少した。ところが患者数はそれほど減っていない。こうしてみると、食品のリスクは年間に数千人の食中毒患者と数人の死者という極めて大きいものである。

注目すべき点は、多くの人が不安を感じている添加物、農薬、GM作物による死亡や中毒がないことである。

アンケートの罠

では、健康被害が出ていないにもかかわらず、なぜ消費者は食品添加物などに不安を感じるのだろうか。それは調査の仕方にもあるのではないか。

不安の程度を知る手段がアンケートだ。調査では健康被害がない添加物、農薬、ＧＭ食品に対する不安が大きい。その原因は情報の伝え方である。私たちは情報がなければ判断できない。そして危険という情報は聞き逃さないが、安全という情報は無視する。その結果、危険情報は売れるけれど、安全情報は売れないため、書籍、週刊誌、ネット情報、そして新聞、テレビまでが危険情報ばかり流すという大きなアンバランスが生まれている。そのような情報の波の中で正確な判断を求められても困難であり、アンケートでは添加物、農薬、ＧＭ食品に対する不安が上位に並ぶ。

しかし、話は簡単ではない。農薬に対する不安を聞かれると、半分以上の消費者が「不安」と答える。もし本当に不安であれば農産物の半分は無農薬になるはずだが、日本には無農薬の農産物がほとんどない。無農薬のものを探して買おうとする人は少ないし、「野菜は全て無農薬にすべき」などという消費者運動もない。

アンケート調査と消費行動のこのような大きなギャップを筆者（唐木）は「聞かれて出てくる不安」と考えている。消費者がスーパーで買物をするときに必ず確認するのは、商品名と価格と賞味期限・消費期限だ。一方、アンケートで「あなたは農薬が不安ですか？」と聞かれたときに、脳裏に浮かぶのは、世の中にあふれる「農薬は怖い」という危険情報だ。そして、「農薬は怖くないと答えたら、馬鹿にされるのではないか」という思いだ。「人に馬鹿にされないように行動する」のは人間の基本的な判断だ。

図表3／食中毒件数のその原因

病因物質	総数		
	事件	患者	死者
総数	962	6,856	5
細菌	258	3,545	1
サルモネラ属菌	22	698	-
ぶどう球菌	15	231	-
ボツリヌス菌	1	1	-
腸管出血性大腸菌（VT産生）	8	78	-
その他の病原大腸菌	2	200	1
ウエルシュ菌	22	1,467	-
セレウス菌	3	48	-
カンピロバクター・ジェジュニ／コリ	185	822	-
ウイルス	63	2,175	-
ノロウイルス	63	2,175	-
寄生虫	577	669	-
クドア	11	91	-
アニサキス	566	578	-
化学物質	2	148	-
自然毒	50	172	4
植物性自然毒	34	151	3
動物性自然毒	16	21	1
その他	3	45	-
不明	9	102	-

出所／厚生労働省2022年食中毒統計より筆者（唐木）作成

こうして、スーパーマーケットで野菜を買うときには出てこない「農薬への不安」が、アンケート用紙を前にしたときにだけ出てくる。これが「聞かれて出てくる不安」だ。

このことはアンケートが危険情報についての「知識の調査」であって、必ずしも消費行動に結びつくような不安を表すものではないことを意味する。不安の種類と程度を見極めないと不安対策を見誤る。アンケートに問題があることは厚生労働省「日本人の食事摂取基準2020年版」にも記載されている。食事の量を尋ねたところ、肥満の人は実際より少量しか食べていないと答え、やせた人は実際より多量を食べていると答えたのだ。アンケート調査だけで不安の程度を測り、「消費者の不安はこんなに高い」といった手法はそろそろ終わりにしたい。

第3章

一つの論文が世界に与えた衝撃

——遺伝子組み換え作物

「遺伝子組み換え作物に発がん性」のイメージをつくったフェイク論文

科学的事実と現実のイメージの乖離

遺伝子組み換え（GM）作物の商業栽培が1996年に始まってから四半世紀。この間のGM作物の広がりは驚異的だ。バイテク情報普及会によれば、2019年には世界約30カ国の1億9040万ヘクタールの耕地でGM作物が栽培されている。これはロシアの全耕地とほぼ同じであり、日本の耕地面積433万ヘクタールの44倍だ。GM作物がこれほど広く世界に受け入れられている理由は、農業労働を削減できるからだ。農業の三つの大敵は、雑草と害虫と作物の病気だが、GMはこれらの問題を解決するために開発された。現在、世界で栽培されているGM作物の大部分は除草剤耐性品種、害虫抵抗性品種、そして一つの作物にこの二つの性格を併せ持つスタック品種の3種類である。

除草剤耐性品種は、除草剤ラウンドアップを散布しても枯れない。だから畑全体に除草剤を散布すると雑草だけが枯れて、GM作物には何の影響もない。雑草の除去は機械化が難しいため多くの人手と時間を要し、農業経営を圧迫するのだが、除草剤耐性GM作物の開発により農家の人手も経費も大きく削減され、家族農業が維持可能になった農家も多い。

害虫抵抗性品種は、害虫には有毒だが人には無害な成分を含む。高価な殺虫剤が不要になり、農家には大きな経済的利益になった。殺虫剤を使用しないことは環境保護にとっても大きなメリットだ。

作物の病気対策の例として、ハワイでウイルスによるパパイアの病気が広がり、生産が大きく落ち込んだとき、この危機を救うためにウイルス抵抗性のGMパパイアが開発されて、生産は劇的に回復した。そしてハワイでは普通に食卓に上っている。

GM作物の安全性についても多くの研究が行われ、過去20年間、GM作物による健康被害は起こっていない。にもかかわらず多くの人々はGM作物が健康に悪く、環境に悪影響があると信じている。科学的事実と人々の判断が大きくかけ離れる原因をつくったのがたった一つの論文である。

用意周到な論文発表記者会見

２０１２年９月19日、〝Journal of Food and Chemical Toxicology〟という科学誌が、〝除草剤ラウンドアップとラウンドアップ耐性ＧＭトウモロコシの長期毒性〟と題する論文を発表した。論文の著者であるフランス・カーン大学教授で分子生物学者ジル・エリック・セラリーニ氏は、論文が発表された日に記者会見を開き、「ラウンドアップもＧＭトウモロコシもがんを引き起こす」として、大きながんができたラットの写真を示した。さらに、この研究について書いた本の発売と、映画の封切りが同週にあることも発表した。映画はその後日本でも上映された。

科学雑誌「Nature」２０１２年９月号などの記事によれば、セラリーニ氏は一部の記者には事前にこの論文を渡したが、その条件として守秘義務契約を結び、論文発表の日まではこの論文についてのコメントを他の科学者に求めることを禁止した。その結果、論文の発表を伝える記事には論文に対する論評がなかった。ラウンドアップにもＧＭトウモロコシにも発がん性などはないことはそれまでに多くの論文で証明されている事実であり、論文の「がんができる」という主張は十分な検証が必要なのだが、この重要な点を追及するほど科学の知識を持った記者はなく、契約がおかしいことを指摘した記者は招待されなかった。

こうしてセラリーニ氏の主張はなんの批判も受けることなしに、衝撃的なラットの写真と共に世界中に報道され、ラウンドアップもＧＭトウモロコシもがんを引き起こすというフェイクニュースが一気に広がった。

もちろん、この発表を聞いた世界の研究者は驚き、論文を検証し、その内容が間違っていることを発表したのだが、後の祭りだった。最初の報道は大きく取り扱われ、人々の印象に強く残る。しかし遅れて出される訂正報道は扱いが小さく、ほとんど注目されない。そのような人間の行動を十分に理解したセラリーニ氏の老獪な作戦だった。

有名になったセラリーニ氏

セラリーニ氏は１９９９年にＧＭに反対する団体「CRIIGEN」を共同設立してＧＭ作物の安全性試験は不十分と主張し、環境団体と連携してＧＭ反対運動を積極的に展開した。例えば２００７年には環境団体グリーンピースが資金提供した研究を発表し、害虫抵抗性トウモロコシがラットの体重や内臓機能に悪影響があると主張した。しかしＥＦＳＡ（欧州食品安全機関）などが、論文の統計的手法に間違いがあると批判し、その内容を否定した。２００

9年にも同様の内容の論文を発表し、同様の批判を受けている。

2010年にはグリーンピースから資金提供を受けたセラリーニ氏の研究をフランス植物バイオテクノロジー協会のフェロス会長が批判し、セラリーニ氏はこれを名誉毀損で訴えた。裁判の結果、フェロス会長も外部資金の提供を受けていたことなどの理由でセラリーニ氏が勝訴したが、裁判所は論文の内容については判断しなかった。

そして2012年の問題の論文でセラリーニ氏は一気に有名人になった。彼はグリーンピースなどの環境団体の他に、オーガニック食品業界や代替医療業界など、世界の反GM団体から多額の資金提供を受けている。

自然にがんになりやすいラットを使用した実験

論文に記載された試験はカーン大学において、2万ユーロの費用をかけて、ラットの寿命に近い2年間観察を続けたものだ。試験の費用はCRIIGENが提供した。論文には多くのデータがあるが、最も話題になった乳がんのデータを紹介する。

この表は、1群10匹のメスラットに様々な飼料を与えた結果、何匹のラットに何個のがん

図表4／セラリーニ論文の乳がんデータの結果

飼　料	10匹中 がんができたラットの数と がんの数
通常の飼料を食べたラット	5匹に8個
GMトウモロコシ・飼料の11%	7匹に15個
GMトウモロコシ・飼料の22%	7匹に10個
GMトウモロコシ・飼料の33%	8匹に15個
ラウンドアップを散布したGMトウモロコシ・飼料の11%	6匹に10個
ラウンドアップを散布したGMトウモロコシ・飼料の22%	7匹に11個
ラウンドアップを散布したGMトウモロコシ・飼料の33%	9匹に13個
ラウンドアップ0.000000011%（水道水汚染レベル）	9匹に20個
ラウンドアップ0.09%（残留濃度）	10匹に16個
ラウンドアップ0.5%（散布濃度）	9匹に12個

出所／セラリーニ氏の論文より筆者（唐木）作成

ができたのかを示したものだ。まず目につくのは、通常の飼料を食べたラット10匹中5匹にがんができていることだ。実験に使用したSprague Dawleyというラットは自然発症のがんが多いことが知られている種類で、死ぬまでに7〜8割が自然にがんになると言われる。この試験では全ての群で5匹以上ががんになっている。そこで出て来るのが、そのうちどのくらいが自然発症のがんなのかという疑問である。

図表4を見ると、通常の飼料でがんになったのは5匹だが、ラウンドアップを摂取させた3群では9〜10匹と約2倍ががんになっている。だからラウンドアップは危険だとも見える。しかし飼料の内容を見ると、ラウンドアップ0・000000011%（1・1×10のマイナス8乗%、ppmで言うと0・0

1ppm）は水道水の汚染レベルで、世界の多くの人が摂取している量である。このような微量であれば、これまでの多くの試験で何の毒性も見られないので、世界のどの国も規制をしていない。そのような全く無害のはずの微量で、9匹に20個のがんという最も強い毒性があるように見えるのは何を意味しているのか。その答えは、この試験結果の全てが自然発症のがんではないかという疑いである。

そこで統計学を使ってこの可能性を確認する。この実験結果では、合計100匹のラットのうち77匹にがんができている。これを10匹ずつ10群に分けるのだが、発がんラットがあらかじめ分かっていれば、1群平均7・7匹（3群が7匹ずつ、7群が8匹ずつ）と全体をほぼ同じに配分できる。しかしラットを群分けした実験開始時点では、将来どのラットががんになるのか分からない。分かっているのは100匹中77匹ががんになるということだけである。そこでコンピュータで乱数を使って100匹のラットをランダムに10群に分けてみた。すると表に示すように、がんを持ったラットが最も少ない群では5匹、最も多い群では10匹に配分される。そしてその他の8群には6~9匹がほぼ正規分布で配分される。

この結果と、セラリーニ論文の結果を比較すると、セラリーニ論文では1群のがんの数が最小で5匹、最大で10匹とコンピュータの計算と一致する。そしてその中間の8群についてもコンピュータの計算とほぼ一致してほぼ正規分布で配分された。ということは、77匹全てが自然発症であるという仮定と矛盾しない。

図表5／100匹のラットをランダムに10群に分けたときの発がんラットの分布（昇順）

群	1	2	3	4	5	6	7	8	9	10
発がんしたラットの数 コンピュータの答え（5回の平均）	5	6	7	7	8	8	8	9	9	10
発がんしたラットの数 セラリーニ論文	5	6	7	7	7	8	9	9	9	10

出所／セラリーニ氏の論文より筆者（唐木）作成

用量作用関係、すなわち高濃度ほど毒性が高いという関係については、飼料中のGM量を11％、22％、33％と増やしても、GMとラウンドアップを組み合わせても、ラウンドアップの濃度を増やしても、がんの数にも匹数にも明確な用量作用関係は見られない。

この検証の結論は、全体の7～8割ががんを自然発症するようなラットを使って発がん性試験をすることは試験としての信頼性がないということである。そのようなことは最初から分かっていることであり、試験を計画した研究者には毒性学の知識が全くないか、あるいは何らかの意図をもってがんの自然発症が多いラットを使ったのか、そのどちらかであろうと考えられる。

セラリーニ論文への批判と掲載取り消し

セラリーニ論文は専門家の観点から二つの問題が指摘されている。第一は統計を無視していることであり、有意差がないにもかかわらず差があると主張していることである。第二は、これまでの多くの研究結果からGM作物にもグリホサートにも発がん性がないことが証明されていることである。科学とは検証の蓄積である。これまでの多くの検証の蓄積を覆すためには、多くの研究者の同意を得るだけの強固な科学的証明が必要である。にもかかわらず、セラリーニ論文は前述のように研究者であれば誰もが疑問を持つような不十分な根拠を示すだけで、発がん性があると主張している。これは明らかなフェイクと言われても仕方がない。

日本の食品安全委員会やEUのEFSAをはじめ、ドイツ、フランス、オーストラリア、カナダなど世界中の公的な安全性審査機関と毒性学の専門家は、そのような科学的な見地から、セラリーニ論文を厳しく批判した。その結果、この論文を掲載した科学雑誌は、この論文の掲載を撤回することを2013年11月28日に決定した。その理由は、論文に示されたデータには改変や捏造はなかったが、実験例数が不足していることと、自然発症のがんが多い不適切な実験動物を使ったため、明確な結論が得られないという判定だった。これは信じられない甘い判定である。筆者（唐木）であれば「自然にできた多くのがんを化学物質でできたと詐称したこと」からこの論文を「意図的な捏造」と判断し、セラリーニ氏を科学界から追放するところだ。そもそも掲載すべきではない論文を掲載した雑誌が判定したのだから、甘い結論になることは目に見えていた。こうしてセラリーニ論文は科学の世界からいったんは追放されたのだが、セラリーニ氏自身が追放されることはなかった。彼にとってそれは想定の範囲内だったようで、すぐに次の手に出た。

ほぼそのまま再掲載された論文

論文掲載が取り消されてから半年後の2014年6月、別の科学誌がセラリーニ論文を再掲載した。問題は、以前の論文に対する批判に全く答えずに、ほぼそのままの形で再掲載されたことだ。論文には査読制度があり、知識と経験がある研究者が論文を査読して、問題がないことを確認したうえで掲載するはずだ。しかし、批判されたままの形で再掲載されたことは、間違い論文をそのまま投稿した著者の倫理観が問題になるだけでなく、査読制度が全く機能していないという問題も示す。実は査読制度の形骸化は科学の世界の大きな問題だが、これはその典型例になった。

再掲載に当たってセラリーニ氏はコメントを発表し、「我々は不当な弾圧には屈しない」と述べ、掲載を取り消した科学雑誌は、実験に捏造や不正がないことを認めたにもかかわらず、論文掲載を取り消した理由は、ラウンドアップを開発したモンサント社（当時）で働いていたネブラスカ大学教授を編集委員に採用したからであり、その結果モンサント社の圧力で取り消しが決まったという陰謀論を述べた。もちろん取り消しは論文の科学的な質が低かったためであり、それは世界の研究者が認めている。そして多くの研究者が指摘している実験の不備については「批判は的外れで、我々は腫瘍の兆候があると言っただけで、がんになったとは言っていない」などと言って一流の研究者を批判している。

追試験で発がん性は認められず

農薬の毒性を調べる試験では、一般にラットに90日間農薬を摂取させて内臓臓器などの変化を調べる。発がん性試験はマウスとラットを使ってほぼ一生涯にわたる期間、すなわちマウスは18カ月以上24カ月以内、ラットは24カ月以上30カ月以内、農薬を投与し続けて発がん性を示すのかを試験する。

セラリーニ氏は動物試験の期間が短すぎるとして2年間の試験を行った。そこで「セラリーニ論文を否定するなら同じ条件で追試すべきだ」という意見も出てきた。その結果、大規模な追試が複数行われ、その全てで発がん性は否定された。

例えば2019年2月に発表された「G-TwYST」試験（EUの資金援助を受けたプロジェクト、2014年4月~2018年4月）では、セラリーニ論文と同じGM作物を用いて、OECD（経済協力開発機構）やEFSAの定める試験手法に沿って、同じ2年間の安全性試験を行った。違いはがんの自然発症が少ないラットを使って明確な結果を得られるようにしたことだ。その結果、発がん性は認められなかった。

それではセラリーニ氏はなぜこのような間違い論文を発表したのだろうか。その背景を時代の流れとビジネスの両面から考える。

時代の流れと環境ビジネス

環境団体とオーガニックビジネス

第二次世界大戦が終わり、先進国では経済が成長し、生活は豊かになった。しかしその暗い面として化学物質公害が発生し、反公害運動や反化学物質運動が起こった。１９７０年代から環境運動が盛んになり、多くの環境団体が生まれた。それらの多くは寄付金で活動しているが、寄付を集めるために分かりやすい攻撃目標を設定し、実力行使まで行う団体も出てきた。捕鯨船に体当たりして批判された反捕鯨団体はその典型だが、ＧＭ作物は多くの団体の攻撃目標になっている。

彼らの手法は、ＧＭ作物が危険であるようなフェイクを大量に拡散することだ。一部のネット住民は「バズる」ために陰謀論などのありえない話を好んで拡散する。ＧＭ危険論もまた面白い話として世界に広がった。そんな虚偽を真実と勘違いする人が多いことは、トランプ元米国大統領やプーチン・ロシア大統領が発する明らかに事実に反する言動を信じる国民が一定数いることからも理解できる。

環境団体と一体となって反対運動を進めるのがオーガニックビジネスだ。反GM、反農薬で両者は協力し、反対運動が広がるほどオーガニックの売れ行きが上がり、それが運動資金になる。こうしてGM危険論はネット社会では「常識」になり、現実社会では農薬と並んで環境保護の最大のターゲットになり、GM反対は大きなビジネスになった。

すると反GM運動を支持する政治家が出て来る。彼らの働きでできたのが日米欧のオーガニックの定義だ。それは化学的に合成された肥料や農薬を使用しないことと、GM技術を利用しないことを基本としている。化学肥料と農薬の使い過ぎが環境問題を引き起こすことから、その使用制限は多くの人が共感する。しかしそこにGM不使用が加わったのは、GM反対運動が広げた「GMは危険」「GMは環境を破壊する」「GMは世界規模の大企業による農業支配」などのフェイクニュースが浸透したためである。

国連が持続可能な開発目標（SDGs）を策定し、世界がその方向に動いているときに、環境問題と食糧問題の解決に不可欠なGM技術を排除することの不合理についての議論を活性化することが必要だが、GM反対派はそのような動きを封じ込める手段として、セラリーニ氏のような研究者と手を組んだのだ。

多くの人にとって「科学論文が発表された」というインパクトは大きい。それが間違い論文であっても、その内容が衝撃的であれば取り扱うニュースは大きくなり、信じる人も多くなる。そして、論文に対する批判はニュースとして取り上げられることはほとんどないし、もし取り上げられたら「大企業の陰謀だ」と騒ぐことができる。セラリーニ論文は再掲載され、多くの人が真実と信じ、GM反対運動の支柱になり、日本のGM反対派もセラリーニ氏を招待して講演会を開催している。

こうして人々が「GM作物は危険」を忘れないようにタイミングよくキャンペーンを行っているのだが、彼らの真の目的は決してGM食品をなくすことではない。もしGM食品が世界から消えると、GM反対ビジネスも消えざるを得ないからだ。

安全観は人それぞれ

確かに、GM作物の反対運動にとって、「敵」の存在は歓迎すべきターゲットだ。米国の旧モンサント社はその象徴的存在だった。しかし、旧モンサント社が2018年にドイツのバイエル社に買収されたことで、これまで悪の象徴とされてきたモンサントという名称は使えなくなった。「バイエルは悪魔だ」とは叫びにくくなったわけだ。旧モンサントはベトナム戦争で使われた枯葉剤や、人への健康被害が発生したポリ塩化ビフェニル（PCB）の開発者として過去に糾弾された悪いイメージが付きまとう。これに対し、ドイツのバイエルは環境意識の高いドイツの企業としてのイメージが強く、さらにアスピリンなどの医薬品を製造販売するメーカーとして世界に知られており、特に悪いイメージはない。その意味でモンサントという名前が消えたことで、反対デモのプラカードに「モンサントは悪魔」とは書けなくなる。それで幾分反対の矛先が鈍くなったようにも感じる。

ところが、である。モンサントという悪の象徴がなくなり、そして反対運動の理論的リーダーだったセラリーニ氏の実験が科学的検証に堪えるものではなかったと分かったいまでさえ、反対運動が完全に下火になったかと言えば、そういう兆しは見られない。むしろ、セラリーニ氏はいまだにGM作物反対派から絶大の信頼を得ている。

GM作物の世界的な普及によって、農薬使用量の削減が実現し、土壌の炭素固定（地球温暖化防止）も増え、生産量の大幅な増加を通じて食料安全保障の確保（飢餓の撲滅）にも役立っているというのに、いまだに先進国を中心にGM作物反対の運動が吹き荒れている。筆者（小島）にとっては魔訶不思議な怪現象にしか見えない。

なぜ、セラリーニ氏の信頼性は失墜しないのだろうか。それにはいくつかの理由が挙げられるだろう。一つは、人それぞれの安全観が異なるという点である。

筆者（小島）は食の安全や環境問題などに関して１９８０年代から40年近くにわたり、様々な人たちに取材をして記事を書いてきた。その結果、つくづく思うのは、人それぞれの安全観、世界観、価値観は皆異なるという厳然たる事実だ。1億人がいれば、1億通りの価値観、安全観が存在するのだ。1億人が納得する客観的な安全性を示す指標はないという実感である。

これはドイツ生まれの理論物理学者、アルベルト・アインシュタインの相対性理論と似ている。相対性理論では観測者はそれぞれの時空をもっていて、観測者の数だけ時空があるという考えだが、何かに対する安全観も全く同じだとつくづく感じる。

別の言い方をすると、ある食品を安全とみるかどうかは、見る人の価値観や物差し、思考法によって皆違うわけだ。いくら多数の科学者が「それは安全です」と言っても、異なる価値観をもつ人には全く通じない。GM作物反対派の言論を見ていると「私はGM作物を必要とするような工業的な文明社会を拒否したい」といった考えに接することがよくある。GM作物がいくらすぐれた成果を見せても、「農業は家族的な営みが理想で、日本は小農主義で生きるべきだ」という固い信念に基づく反バイオテクノロジーの信奉者にとっては、その考えを変えるだけのインパクトをもたない。科学的な事実が新たに少々分かったくらいでは、人の価値観は変わらないのである。

ただし、実は農薬の使用や労力が少なくて済むGM作物の栽培こそが、家族農業の持続的な経営を可能にする要素をたくさんもっている。途上国の小さな家族農家がGMトウモロコシやナスを栽培して成功しているフィリピンやバングラデシュの状況を見れば、GM作物こそが家族農業に大きな恩恵をもたらすことははっきりと証明されている。その意味では、逆説的ながら、小農主義を理想とするＧＭ反対派こそが、現実を冷静に受け入れて価値観を転換させ、ＧＭ作物を採用すべきだろう。

反対派は「闘う科学者」を評価

セラリーニ氏の影響力がいまなお存在する背景には、理想とする科学者像が人によって異なるという点もあるのだろう。自分の信奉する学者がいくら「学者としては不適格だ」と世間から批判されても、信奉する気持ちが萎《な》えることはない。

セラリーニ氏は２０１２年に論文を公表したあと「私と同様の動物実験をして検証すべきだ」と主張していた。これを受けて、ＥＣ（欧州委員会）は、セラリーニ氏の実験を検証する一大プロジェクトを実施した。これは、ＥＵ（欧州連合）の資金でドイツやフランスなどの大学が実施した誰からも文句のつけようのない厳密な試験だった。その結果、セラリーニ氏の実験は完全に否定された。ここまで見せられると、さすがにがんを引き起こすという根拠はなくなり、セラリーニ氏の信頼性はかなり低下するはずだと思ったのだが、そうはならなかった。

筆者（小島）がセラリーニ氏の信奉者だったならば、欧州委員会の再現試験の結果にかなり動揺する。だが、筆者の予想に反し、GM作物反対派の人たちは筋金入りの精神力をもっていた。反対派は2019年10月にセラリーニ氏を日本へ招き、講演会まで開き、支持を表明したのだ。講演会を開いた日本消費者連盟は告知文で次のように呼びかけた。

「セラリーニ教授たちのグループは、GMトウモロコシとラウンドアップの危険性を長期にわたる動物実験で立証。2012年、お腹に大きな腫瘍を抱えたラットの画像が世界中に配信され衝撃を与えました。実験が公表されるやいなや、多国籍企業やそれに連なる研究者らは、実験だけでなくセラリーニ教授個人を激しく攻撃し、実験結果を掲載した科学誌から論文が削除されました。モンサント社などの多国籍企業にとってそれほど脅威を与える実験だったのです」（2019年9月26日）。

セラリーニ氏の実験が疑惑と不備に満ちたものだったという事実は、この章の前半で述べてきた通りだが、「セラリーニ氏の実験に不備がある」と指摘した日本の内閣府食品安全委員会に関わる研究者たちは別に多国籍企業とは何の利害関係もない。純粋に科学の目で検証した結果、「不備が多い実験だ」と指摘しただけである。

ただ、いくら科学的事実を突きつけられても、反対する側の動きは揺らぐどころか、より強化されていく。反対派から見ると、政府や既成の科学者層（エスタブリッシュメント）から攻撃を受けるということは、それだけその実験が正しかったことの証《あかし》だというわけだ。この論理でいくとセラリーニ氏の実験は批判されるほど堅固になり正しくなる。

セラリーニ氏が著した本『食卓の不都合な真実』を読むと確かに正義感にあふれ、行動力に富み、既成の科学界に挑戦する科学者である。行動する科学者でもある。日本消費者連盟は「闘う科学者」と称賛して、講演会の内容をレポートした（2019年12月20日号）。反対派にとっては、セラリーニ氏のような科学者こそが理想とすべき科学者なのである。そして同時に反権力を掲げる科学者に共鳴する。セラリーニ氏とGM作物反対派は革命を信じて戦ういわば「同志」のような存在なのであろう。

筆者（小島）も、かつてはそういう環境団体の心情に沿って記事を書いていた時期があるので、同志的な感覚はよく分かる。環境団体はセラリーニ氏に「あるべき科学者像」を見出したわけだ。理想とする科学者像が異なれば、安全観が異なるのは理の当然だ。

共通する文明観の影響

2019年の日本の講演会では、衝撃的な内容も報告された。セラリーニ氏は自らの実験からラウンドアップの有効成分である「グリホサートのみを与えた植物はほとんど枯れることはなく、他の石油由来成分を混ぜたラウンドアップだと完全に枯れた」と述べた。

これまで散々グリホサートの害を述べてきたのに、今度は一転して悪いのはグリホサートではなく、石油系由来の界面活性剤を混ぜた製品のラウンドアップが問題だと言い始めたのである。この講演会を聞いた北海道北広島市の市議会議員はさっそく「草を枯らす強い毒性は、ラウンドアップではなく、添加されている界面活性剤に含まれる重金属や石油由来の不純物です。大資本の力に対抗して食の安全を求めていくには、より多くの市民が声を上げることが重要です」（2019年11月30日）などと報告した。理想とする科学者であるセラリーニ氏の言うことなら、すぐに信じてしまう信奉者はやはりいるようだ。

草を枯らす正体はグリホサートではないという指摘は間違いだ。グリホサートを畑に散布すれば、雑草は枯れるものの、収穫対象の大豆やナタネ、トウモロコシは枯れないという遺伝子組み換え作物が世界的に普及してきたのは、グリホサートに雑草を枯らす除草効果があるからだ。もし製品中の添加剤が植物を枯らすなら、大豆もナタネもトウモロコシも全部枯れて、収穫できなくなるはずだ。少し考えれば矛盾する話をすぐに信じてしまうのは、自らが崇拝する科学者の発言だからだろう。

セラリーニ氏の影響力が衰えない裏には、GM作物に反対する人たちとの間に共通の文明観がある点も否めない。

遺伝子組み換え作物に反対する人たちの行動を見ていると、新型コロナのワクチン接種にも反対する傾向があり、さらに種子法廃止や種苗法の改正、水道の民営化、ゲノム編集食品、大規模な農業経営、工業的な畜産などに対しても批判的な傾向が見られる。そういう価値観の根っこには、おそらく科学とは別の「工業的な資本主義社会、物質文明への批判」が見て取れる。

例えば、遺伝子組み換え作物に反対している市民グループが「新型コロナワクチンは危険だ。接種してはいけない」と訴えている講演動画を見たことがある。どんな理由で反対しているかと思えば、「ワクチンは、資本主義が国家を存続させるために集団に強いている道具だ。そんな道具を信じてはいけない」という論法だった。こういう国家観を持つ人に対して、ワクチンの科学的なデータを示しても説得は難しいだろう。

そういう価値観はそうそう変わるものではない。人は往々にして、科学的な判断よりも、自分と似た価値観をもった他人もしくは学者を信用する傾向がある。この点においては筆者（小島）も例外ではないだろう。つまり、何をもって安全と考えるかは、実は、かなり価値観、世界観、文明観に左右されるということだ。

政府がいくら「GM作物やゲノム編集食品は食べても健康への影響はない」「福島第一原発の処理水は人や環境に悪影響はない」と説明しても、なかなか信じてもらえない。政府を信頼していないからだ。これは、一党独裁体制の中国ですぐれたワクチンが開発されたといわれても、ほとんどの人は中国製ワクチンを接種したくないのと似ている。多くの日本人にとって中国は信用できないからだ。これはセラリーニ氏のように権力と闘う学者の言うことは信じるが、政府べったりの御用学者の言説は信用できないという理屈にも似ている。

日本の食品安全委員会や農林水産省などは幾度となく、食品中の残留農薬などのリスクの大きさを科学的に説明して理解してもらうリスクコミュニケーションを行っているが、なかなか成果が上がらないのは、そういう学者観や政府観をもった人たちが相手側にいるという点も理由の一つだろう。

人の価値観が大きく変わるとき

もちろん、科学的事実や厳然たる事実を示すことで、人の価値観や思考法ががらりと変わることもある。

筆者（小島）は、父が正義感に満ちた共産党員だったため、20代からずっと「社会主義こそが理想の世界だ」と信じて育った。いったん社会主義の正しさを信じ込むと、旧ソ連で何百万人がスターリン（ソ連の最高指導者）によって粛清され、殺されたという情報を聞かされても、「そんなのは嘘だ。資本主義を守ろうとする資本家のデマ（扇動的意見）」と聞き流していた。ソ連の収容所の実態を暴露した作家のソルジェニーツィン氏が『収容所群島』という本を出しても、これも「誇張して書いているだけで半分は嘘だ」と思っていた。少々の事実を知ったくらいではこの信念は揺らぐことはなかった。

しかし、1991年にソ連の崩壊を目の当たりにし、ソ連の社会主義革命を打ち立てたレーニンの像までがソ連の市民によって打ち倒されたテレビのシーンを見て、ようやく目が覚めた。ソ連の崩壊は歴史的な事実の一つである。結局は、事実という動かしがたい証拠が私の信念や価値観を変えたわけだ。しかし、この信念を変えた事実の大きさは、セラリーニ氏のような不備の多い実験とはケタ違いに大きい歴史的な大変革だった。さすがに目の前で社会主義体制が崩壊するくらいの事実が起きれば、人の固い信念も揺らぐだろう。

ロシアのウクライナ軍事侵攻という歴史的大事件も、「こちらが武器をもたなければ、どこからも攻撃されず平和が保たれる」という神話（平和憲法観）を打ち砕くのに十分だった。

とはいえ、信念はそうそう揺らぐものではない。朝日新聞の記者（私のかつての知人）は1980年代になっても「北朝鮮は理想の国」という連載ルポを朝日新聞に書いていた。本当の事実を知らない無知がそうさせたのだろうが、「北朝鮮の社会主義はソ連と違って理想の国」という固い価値観がそうさせたともいえる。

記者といえども、現場に行っても、自分が見たいものしか見えないのだ。これも信念のなせる業だ。

医師すらも確証バイアスに陥る

セラリーニ氏の話に戻る。セラリーニ氏のような極端な主張に対しても、共感を示す医師や記者がいるということも、セラリーニ氏の存在が揺るがないことの背景にある。

例えば、医師の桐村里紗さんが著した『腸と森の「土」を育てる』（光文社新書）を読んでいて、目を疑う文章に出くわした。

「マサチューセッツ工科大学のステファニー・セネフ博士は、２０１５年の時点で『２０２５年には、グリホサートの使用により、50％の子どもが自閉症になる可能性がある』と警告しています」

セネフ博士はコンピュータサイエンスの専門家で、農薬や発達障害の専門家ではない。以前から米国でのグリホサートの生産量と自閉症の上昇カーブが一致するとして、自閉症の原因としてグリホサートを挙げている学者である。この農薬と自閉症に関しては、詳しくは第

５章を読んでほしいが、ここで言いたいのは、まさか「２０２５年に米国の子どもの50％が自閉症になる」という主張を真に受けて、自分の本にまで引用する医師が現実にいるということに驚きを禁じ得ないということだ。いくら自閉症（過剰診断などの話は第5章で詳述）が増えているとはいえ、農薬に関わる文脈の中で「半分の子どもが自閉症になる」は普通に考えればありえない。

ちなみに右記の本にはＧＭ作物に関する記述も出てくるが、間違いだらけである。このように、現代医学を学んだ優れた医師でさえも、自分の結論にとって都合のよい話は深く考えることもなく引用してしまう。これは、自分の思いや願いを補強する情報ばかりに注目する「確証バイアス」の典型だろう。医師でさえもそうなのだから、農薬や遺伝子組み換え作物のリスクを少しでも書きたがっている習性をもつ週刊誌や新聞の記者がこの種の話に飛び付くのは目に見えている。

２０２１年の朝日新聞経済面（４月20日付）のコラム「経済気象台」がそのよい例だ。

これは、当時各地で発生していた鳥インフルエンザの原因を「ひたすら卵を産ませる不自然な形の工業的な飼育」に求める内容のエッセイだ。確かに密集した飼育だと感染は広がりやすいが、鳥インフルエンザは渡り鳥がウイルスを運ぶ伝染病であり、放し飼いの開放的な環境の方が感染のリスクが大きい。しかし、記者にとってはそういう深い考察は気に留めず、工業的な畜産を悪とみなして資本主義的世界をちくりと批判したい心境が内容からありありと分かる。

記者たちは都会に住み、工業的な文明の恩恵を受けていながら、いざ記事を書くときは、「工業的な文明はよくない。経済よりも命が大事だ」といった観念論に傾く。そんなに工業的な文明がよくないと思うなら、自ら率先して過疎地に引っ越して、自給自足的な生活を選べばよいのに、そういう行動は起こさない。観念論だけのエッセイなのだ。

記者たちはしばしば大量生産・大量消費を批判するが、それを言うなら、新聞の発行はどうなるのか。紙を大量に刷ってトラックなどで全国に配る「資源・エネルギー多消費型」新聞発行業は大量生産・大量消費の代名詞のようなものだ。もう30年前だったか、「森林資源を守るために夕刊を廃止しよう」という運動があった。だが、これに賛同する新聞社はゼロだった。ところが、ここ数年、夕刊を読む読者が激減したために、朝日新聞や毎日新聞、読売新聞は名古屋地区で夕刊を廃止するなど、ようやくその動きが出てきた。資源を守るためではなく、そうせざるを得ない経済的苦境に追い込まれたからである。

日ごろ、「経済よりも命や地球が大事」と崇高な理想を語りながら、それを実践していないのはマスコミ各社であると言える。

話はグリホサートとGM作物に戻る。GM作物と農薬に関する悪い情報に飛び付く習性は、立憲民主党や社会民主党、共産党などの政治家にもよく見られる。国会で農薬と発達障害や発がん性に関する質問をしているのはいつもこれらの政党の政治家だ。現実の世界では科学と政治は決して分離しているわけではない。一部の科学者は政治家そのものと言っても過言ではない。こういう政治家とGM反対運動は同じ世界観を共有しながら連携していることが分かる。

セラリーニ氏の実験にいくら不備があっても、反対運動がびくともしないのは、そこに政治的な闘争や価値観の相克があるからだ。人は科学的な事実や根拠だけで農薬や食品添加物、GM作物の安全性を判断しているわけではない。鈴木宣弘氏（東京大学教授）がいくらトンデモ論（例えば、アメリカの指令で日本のGM食品の表示が変更されたという陰謀論など）を主張しようとも、支持者は減らない。それどころか、鈴木氏を担ぐメディア（例えば、文藝春秋、週刊文春、週刊新潮、日刊ゲンダイ、日本農業新聞、農業協同組合新聞、ダイレクト出版、平凡社など）は次々に出てくる。

それでも、筆者たち（唐木、小島）はおかしなところはおかしいと言い続けていくしかない。座視していれば、子宮頸がんなどを減らすはずだったHPV（ヒトパピローマウイルス）ワクチン接種の激減という悲劇を生み出したりするからだ（詳細は第6章）。

GM反対派が表示の厳格化に反対する不思議

共著者の唐木氏は、もしGM食品が世界から消えると、GM反対ビジネスも消えざるを得ないと述べている。確かにその通りである。この章の最後は、それにふさわしいエピソードを紹介して締めくくりたい。

読者の皆さんもご存じのように、2023年4月から遺伝子組み換え食品の表示ルールが変わった。これまでは食品中に混入している意図せざる組み換え原料の比率が5%以下ならば、「組み換えではない」と事業者は任意で表示できた。ところが、4月以降は「組み換え原料が不検出」（検出できないくらいゼロに近い）に限って、「組み換えではない」という表示を認めることになった。要するに「組み換えではない」と表示できる条件がより厳格になったわけだ。

これまでGM作物に反対する人たちは「『組み換えではない』と表示されているのに、組み換え原料が5%も混じっているのは問題だ」と表示の厳格化を求めてきた。当然の要求なので筆者（小島）も賛成する。それならばと消費者庁は識者の検討会を重ね、「皆さん、もう安心ですよ。これからは、『組み換えではない』と表示された食品を選べば、組み換え原料の混入はほぼゼロです。私たちの努力にぜひ拍手してくださいね」といった気持ち（私の推定）

を込めて、表示ルールを厳しくした。

これはまさに消費者庁の大英断である。あの進んだEU（欧州連合）でさえ0・9％未満の混入を認めている。それに比べて、消費者庁の新ルールはEUよりも厳しい。世界に誇る快挙といってもよいだろう。

この消費者庁の英断によって、筆者（小島）はてっきり、「組み換え食品は絶対に食べたくない」と反対してきた一部生協（生活クラブ生協やパルシステム生協など）の人たちは「これでやっと組み換え原料が含まれていない食品を買うことができます。消費者庁の皆さん、ありがとう」と大歓迎するかと思っていた。ところが、予想に反して、今度のルール改正は「改悪だ」と猛反対したのである。

なぜ反対なのか。その理由を知って愕然とした。

あまりにもルールが厳しくて、「組み換えではない」と表示できなくなるからだというのである。開いた口がふさがらないとはこのことである。表示の厳格化に反対するということは、「組み換え原料が1％くらいなら、混じっていても受け入れます」と言っているのと同じだ。言い換えると「組み換え食品は絶対に嫌です」と言っている人たちが実は、「少しくらいなら混じっていてもよいし、少しくらいなら食べても問題ありません」と自ら安全性を宣言しているようなものだ。

組み換え作物が絶対に嫌ならば、組み換えではない作物を厳格に分別・管理して海外から輸入し、「組み換えではない」と表示できる加工食品を自ら製造・販売すればよいのに、なぜそうしないのだろうか。不思議でしょうがない。

その理由について、いくつかの生協のホームページを見ると、組み換え原料の混入をゼロにするには多額の費用と労力がかかるからだという。日ごろ、「コストや経済的利益よりも命が大事」だと主張しているのではなかったのか。そういう生協だからこそ、たとえ多大な労力とコストをかけてでも、「組み換えではない」と自信をもって表示できる製品をどしどし出してくるのかと思っていたのだが、どうやら違っていた。

代わって、生協が出してきたのは「NON GMO」とか「GMOにNO!」といった表示だ。GMOとは遺伝子組み換え作物のことだ。結局、言いたかったのは「組み換え作物にノー」という自分の利益に結び付くビジネス文句だった。一番訴えたかったのはやはり「GMOに反対です」という主張だったのが分かる。敵がいて、初めて成り立つ不安ビジネスの一つが「GMO反対」だったのである。この世からGMOがなくなって一番困るのは、その恩恵を受けている世界中の農業生産者だが、次に困るのはこういう不安ビジネスを展開して利益を得ている事業者なのだろう。

もちろん、組み換え原料が100％の食品でも食べて何の問題もないが、GM作物に反対している人たちが表示の厳格化に反対しながら不安ビジネスを展開している光景は、かえってGM食品の安全性を象徴しているのではないだろうか。

第4章

フェイクニュース・ビジネスで大儲け

——除草剤グリホサート

誤解だらけの「発がん性分類」

嫌われもののグリホサート

この本を読まれている皆さんは、「牛肉や豚肉は発がん性のある食べ物だ」ということをご存じだろうか。むろん皮肉っぽく言っているのだが、決して脅しているわけではない。事実である。WHO（世界保健機関）の下部組織であるIARC（国際がん研究機関）が2015年10月、牛や豚などの肉類を「ヒトに対して、おそらく発がん性あり」（グループ2A）と分類したからだ。そう言われても、おそらく大半の人は牛肉や豚肉に怖さを感じないだろう。発がん性があるのに、怖さを感じないのは、普段食べていて、なじみがあるからだろう。

ところが、牛肉や豚肉と同じ分類（グループ2A）の「おそらく発がん性あり」とされながら、不安や恐怖をまき散らしているものがある。それが何かを、国際がん研究機関による発がん性分類の謎解きをしながら、解説しよう。

ＳＮＳの利用増加に伴い、悪質なデマや偽情報があふれるようになってきた。農薬のリスクに関するフェイク情報の最たるものは、除草剤のグリホサートに関する書き込みだろう。グリホサートは米国の旧モンサント社（２０１８年にドイツのバイエル社に買収され、現在はバイエル社）が１９７０年に開発した農薬だ。製品名はラウンドアップという。アミノ酸の合成を阻害することで植物を枯らす。世間ではモンサントのイメージが悪いせいか、グリホサートほど誤解の多い農薬はない。

しかし、一般とは違い、植物の生理や毒性に詳しい専門家は安全性の高い農薬だという点で一致している。植物の生存戦略を解説した一般向けの本『たたかう植物』（ちくま新書）を著した稲垣栄洋・静岡大学大学院教授（雑草生態学）はグリホサートについて「環境に対する負荷の少ない安全性の高い薬剤である」と同書で書いている。これがグリホサートに対する農学系専門家の平均的な見方だと言ってよいだろう。毒性学の専門家は、動物実験からみて、グリホサートの毒性は食塩の毒性と同程度と言う。

その道の専門家が抱くリスクの相場観を知っておくことは、フェイク情報にだまされないためにとても重要である。グリホサートのリスクに関する専門家の相場観は「安全性が高い」ということをまずは胸に刻んでおこう。

ところが、匿名で素人が何でも書き込めるＳＮＳの世界は、こういう専門家の相場観とはまるで異なる。例えばこうだ。

「ラウンドアップは発がん性があることが指摘されています。……欧米の基準は厳しいですが、日本は野放しです」

「モンサント社が開発したラウンドアップは、脳神経を破壊し、奇形がんのもとになっている。全世界が発売を禁止したが、日本だけは規制を緩和している」

「ラウンドアップは、かつてベトナム戦争で使われた枯葉剤が元になっている」

「グリホサートは発達障害など子どもたちへの影響、妊娠や出産への影響、さらには世代を超えて悪影響がある。世界では禁止の流れが強まっている」

こういう根も葉もない悪質な情報が飽きることなく、毎日のように発信されている。そういうデマに近い発信に対して、「枯葉剤とラウンドアップをいまだ混同している人がいるんですね。双方の化学構造は全く異なります」や「アメリカのホームセンターでもラウンドアップは販売されている。世界中で禁止はウソです」といったまともな反論も見られるが、グリホサートを貶めることに情熱を傾けている人たちにとっては痛くも痒くもないようだ。

著名人の発信が信頼できるとは限らない

これらの発信を見ていて気になるのは、そうした中に名の知られた医師や実業家がいることだ。個人がどんな意見をネットに載せようと言論世界では自由なのだが、その影響力は侮れない。本書は個人の名を挙げて批判することを目的としていないが、そういう発信をしている人たちの中であえて名を挙げれば、医師の内海聡氏がいる。内海氏はベストセラーを次々に書いている著名人である。

内海氏は本名で発信している。その点は大いに尊敬できる。匿名なら、どんなことでも言える。しかし、本名で堂々と自信と責任をもって発信している点には好感がもてる。

内海氏の見解や主張をどう見たらよいかは、他の専門家が内海氏をどう見ているかを知るのが一番分かりやすい。科学を重視するスタンスでたくさんの本を書き、よくメディアに登場する医師の岩田健太郎氏（神戸大学大学院医学研究科・医学部教授）は『食べ物のことはからだに訊け！——健康情報にだまされるな』（ちくま新書）の第三章（「トンデモ情報」に振り回されないために）でトンデモ本の一つとして、内海氏の本『医者いらずの食』を挙げている。内海氏の思想に共感できるところが多いことを認めつつも、「コレステロールは高くてもよい」など極論や論理の飛躍が目立つと書いている。

内海氏は新型コロナウイルスに関する本も出している。これについては、免疫学の第一人者である宮坂昌之氏（大阪大学免疫学フロンティア研究センター招へい教授）は『新型コロナワクチン本当の「真実」』（講談社現代新書）で、内海氏が著した本『医師が教える新型コロナワクチンの正体』に対して、次のように書いている。

「私が一番問題だと考えるのは、内海氏が、現在の感染症学、免疫学、分子生物学によって蓄積されてきた知識や医学的成果が全くの誤りだと考えていることです。この本は、反ワクチンというよりは明らかに反現代医学です」

専門家が他の専門家を名指しで批判することは、たとえ学会内でも日本では難しいし、珍しい。日本は学者の世界でも「和」を重んじるからだ。にもかかわらず、その道の専門家があえて自著の中で内海氏の本に触れて、不正確なところがあると批判する。そういう場面を見ると、やはり内海氏の主張には科学的な観点から見て、信頼性に欠ける情報が混ざっているとみていいのではないかと思う。もちろん、自分の意見を堂々と発信することに異論はない。ただ、医師だからといって、その全ての主張が科学的に正しいとは限らない。これはどんなことにも言えるが、極論や過激な言い方（例えば、農薬で自閉症になるなど）には注意が必要と言えそうだ。

話をグリホサートに戻す。その内海氏がX（旧Twitter）で「ラウンドアップは発がん性があることが指摘されています。……欧米の基準は厳しいですが、日本は野放しです」（2023年5月29日）と俗説を書いている。他にも「遺伝子組み換え食品で懸念されているのが、大きく分けるとがんや腫瘍、アレルギー、不妊などです。またモンサント社に代表されるような遺伝子組み換え作物の場合、農薬とセットであることが特徴です……」（2023年6月21

日）とも書いている。

ＳＮＳの世界では内海氏に限らず、「グリホサートは発がん性がある」という言い方が常に出てくる。「発がん性」と聞けば、それが体内に入れば、誰しも「がんになる」といったイメージを連想するだろう。しかし、実際はそうではない。

実をいうと、牛肉や豚肉と同じ発がん性グループなのに、不安をまき散らしているものとは、グリホサートのことである。このグループ分類のからくりはあとで詳述するが、内海氏が遺伝子組み換え作物ががんに関連しているかのような発信をしているので、少しだけ遺伝子組み換え食品とがんの関連について触れておきたい。

完全に否定された遺伝子組み換え食品の発がん性

遺伝子組み換え（ＧＭ）作物は１９９６年に流通し始めてから30年近くたつ。家畜の飼料のほとんどは日本でも欧米でも組み換え飼料である。もちろん家畜に健康障害は起きていない。食卓の食用油や飲料の甘味料にも使われているが、ヒトに健康被害があったという報告はない。

いまなお「組み換え作物ががんを起こす」かのようなデマが流布するのは、第3章で詳述したようにおそらく2012年にフランス・カーン大学教授のセラリーニ氏が発表した実験（がんになりやすい特殊なラットを使うなど、意図的と思われる不備な実験）が尾を引いているのだろう。

セラリーニ氏は遺伝子組み換えトウモロコシをラットに与えた実験で「がんを起こす」と主張したが、その後、欧州連合（EU）の政策執行機関であるEC（欧州委員会）がセラリーニ氏の実験を検証するプロジェクト「G-TwYST」を行い、その結果を2019年に公表したことはほとんど知られていない。

欧州委員会は、セラリーニ氏の実験が自然にがんができる特殊なラットを使い、1群わずか10匹だったのに対して、自然発症のがんが少ないラットを使い、統計学的な検定がきちんとできるよう、1群あたり50匹を使い、OECD（経済協力開発機構）やEFSA（欧州食品安全機関）の定める厳密な指針に従って試験を行った。その結果、組み換えトウモロコシを食べた群と食べなかった群にがんの発生率の差はなかった。

これでほぼ決着したのだが、日本のメディアが報じないため、いつまでたっても、根拠のない負の情報の連鎖が続く。メディア（毎日新聞の記者）にいた人間（筆者の小島）として、何度か「がんとは無関係」と報じたものの、負の連鎖を断ち切れなかったことに悔しい思いが募る。

グリホサートと牛肉・豚肉は同じグループ

では、グリホサートの発がん性にまつわる誤解はいつから始まったのだろうか。そんなに昔のことではない。始まりは2012年に発表されたセラリーニ氏の実験だが、これにお墨付きを与えたのが2015年3月にIARC（国際がん研究機関）が、発がん性分類でグリホサートを「2A」（ヒトに対しておそらく発がん性あり）と公表したときである。この公表時には、農薬のマラチオン（殺虫剤）やダイアジノン（殺虫剤）も「2A」と分類されたが、メディアが注目したのはグリホサートだけだった。グリホサートは旧モンサント社が開発した農薬だったからだろう。

大きな誤解は、この「2A」という分類から生じている。この「2A」の仲間にどんな化学物質や環境因子があるかを知ったら、誰もが驚くに違いない。実は、それから約半年後の2015年10月、国際がん研究機関は「牛肉や豚肉、馬肉、羊肉」などのレッドミート（鶏肉はホワイトミートなので異なる）も「2A」と発表した。なんと同じ年にグリホサートと牛肉・豚肉が同じ発がん性グループに属するという兄弟関係となったのだ。

ちなみに、同じ2Aの仲間には、ポテトフライなどに含まれる「アクリルアミド」（アミノ酸と糖類が高熱で反応してできる。接着剤の原料としての用途もある）▽「65度以上の熱い

図表6 ／国際がん研究機関（IARC）による発がん性分類

4つの分類	主な因子例
グループ1 （ヒトに対して発がん性あり）	喫煙、受動喫煙、アルコール、紫外線、加工肉（ハム・ソーセージなど）、アスベスト、ベンゼン、ディーゼル排気ガス、カドミウム、ヒ素、電離放射線、ホルムアルデヒド、ダイオキシン類（2,3,7,8-TCDD）、アフラトキシン（カビ毒）
グループ2A （ヒトに対しておそらく発がん性あり）	アクリルアミド（ポテトフライなどに含まれる）、牛や豚、馬などの肉類（鶏肉は該当せず）、65度以上の熱い飲み物、生活リズムを乱す交替勤務、ヒドラジン（工業医薬品の原料）、グリホサート（除草剤）、マラチオン（殺虫剤）、ダイアジノン（殺虫剤）、無機鉛化合物、木材などを燃やす室内環境
グループ2B （ヒトに対して発がん性があるかもしれない〈可能性あり〉）	ガソリン、わらび、漬物、メチル水銀化合物、携帯電話の電磁波（無線周波電磁界）、フェノバルビタール（催眠・鎮静剤などの医薬品）、鉛、重油、クロロホルム、アスパルテーム（人工甘味料）
グループ3 （ヒトに対して発がん性と分類できない）	カフェイン、お茶、コーヒー、コレステロール、蛍光灯

出所／IARCのサイトより筆者（小島）作成（2023年7月15日時点）

飲み物」▽「木材などを燃やす室内環境」▽「生活リズムを乱す交替勤務」などがある。(図表6参照)

グリホサートを敵視する人たちは、この2Aという分類が公表されてから、グリホサートを「発がん性物質」と呼ぶようになった。発がん性を警告したいなら、熱い湯やポテトフライ、野菜炒めやカレールー（アクリルアミドが含まれる）も「発がん性物質だ」と訴えてもよさそうだが、それはしない。「グリホサートは牛肉、熱い湯、ポテトフライと同じ仲間の発がん性物質だよ」と言ってしまうと、グリホサートの危険なイメージが薄まってしまうからだ。ちなみに遺伝子組み換え作物は、この発がん性分類のどこにも出てこない。人騒がせなIARCでさえも、セラリーニ氏の実験を認めなかったことが分かる。

発がん性の分類は「危険度」順ではない

では、そもそもいったい国際がん研究機関の発がん性分類とは何なのだろうか。

国際がん研究機関は様々な研究報告を基に、ヒトに対する発がん性分類を以下のように分けている。「グループ1」（ヒトに対して発がん性あり）、「グループ2A」（おそらく発がん性あり）、「グループ2B」（発がん性の可能性あり）、「グループ3」（発がん性と分類できない）の四つだ。2Aと2Bの違いは、ヒトと実験動物の両方で発がん性を示す限定的な証拠があれば2Aに、ヒトあるいは実験動物のどちらかでしか限定的な証拠がなければ2Bになる。

一番知っておきたいのは、この順番は危険度の強さや健康に及ぼす実際のリスクの大きさに基づくものではないということだ。単にいろいろな実験や研究によって、大なり小なりがんを起こす証拠があったと言っているに過ぎない。

グループ1の環境因子は確かにがんになる証拠はそろっているが、だからといってヒトへの健康リスクが大きいことを意味しない。例えば、グループ1には、猛毒のダイオキシン、重金属のヒ素やカドミウム、喫煙、放射線、ハム・ソーセージなどの加工肉、アルコールなどがある。ダイオキシンとハム・ソーセージとアルコールが同じ仲間として分類されていることに、なぜ？と思う人がいるだろう。これだけでも危ない順番ではないことが分かる。

では、なぜ同じグループなのか。それは、グループ1の因子は人と動物でがんになる証拠が十分にそろっているという意味に過ぎない。証拠がそろっているからといって、実際に健康リスクが高いわけではない。

専門家はこの分類をハザードによる分類だという。日本語ではハザードが危険性と訳される場合が多いため、よくリスクと混同される。しかし、ハザードとリスクは全く異なる概念である。

ここで改めて、リスクとハザードの関係式を覚えておこう。

リスク＝ハザード（有害なもの）×ばく露量（体内への摂取量、浴びる頻度）

リスクは健康被害を起こす確率だ。そのリスクの大きさはハザードよりも、ばく露量（食べ物なら体内摂取量、大気中の物質なら吸入量）に大きく左右されることが分かるだろう。

ＩＡＲＣはいろいろな環境因子をハザードとして分類しているのであり、人がどれだけ摂取したときにどれくらい危ないかというリスクを評価しているわけではない。この点はいくら強調してもよいくらいに重要だ。

ＩＡＲＣが２０１５年にグリホサートや肉類をグループ２Ａと発表した際、多くの新聞やＮＨＫが「危険度の高いグループ２Ａ」とか「リスクが2番目に高いグループ２Ａ」と報じていた。記者が間違えるくらいだから、一般の消費者が誤解するのも無理はない。

ハザードとリスクの違いは、アルコールだと分かりやすい。アルコールはがんになる証拠はそろっているが、飲む量が少なければ、リスクは小さくなる。つまり、グループ1という分類から、「アルコールは発がん性のある飲料だ」と言えるのだが、適量に飲んでいれば、リスクは極めて小さいということになる。

牛肉や豚肉のリスクについても、毎日、100g以上の牛肉や豚肉を食べ続けると大腸がんになるリスクは約2割高くなるのだが、こんなにたくさんの肉を毎日、食べ続ける日本人はほぼいないだろう。牛肉が発がん性分類で「2A」だからといって、恐れる必要はない。それと同じように、グリホサートも適正に使用していれば健康への影響はほぼ無視してよいということだ。

甘味料のアスパルテームも2023年7月にグループ2Bに分類されたが、これも牛肉や豚肉より科学的な証拠が少ないというだけのことだ。売れ行きを狙って週刊誌などは騒ぐだろうが、特に心配はいらない。

もうお分かりのように、人の健康に悪影響を及ぼすかどうかは、その物質を体内にどれだけ取り入れるかの「量」で決まる。健康危害の有無は「量」次第なのだ。このことをちゃんと押さえておけば、発がん性の分類がどうであろうが、フェイク情報にだまされることはない。

ところが、アルコールだとすぐに理解できるハザードとリスクの関係が、農薬や添加物などに及ぶと、この冷静な論理が吹っ飛んでしまうようだ。週刊誌はたびたび食品添加物や残留農薬（パンやお茶から農薬が検出されたといった話）を取り上げて不安を煽るが、たいていの場合、人が実際に摂取している肝心な「量」の数値を示さずに記事を書いている。毒性は「量」次第ということを頭に入れておくだけでこういった記事にだまされることはないだろう。

欧米の公的機関は「発がん性なし」

グリホサートの発がん性に関しては、実は、もう一つ重要なことが意外に知られていない。結論を先に言えば、グリホサートに関して発がん性があると言っているのはIARCだけだという事実である。疫学研究でグリホサートとヒトのリンパ系がんに関連が見られるという限られた証拠でグループ2Aとなったのだが、実は人では発がん性がないという最新のデータを知りながら採用しなかったことが明らかになっていることは後で述べる。もしこのデータを採用すれば、2Bあるいはそれ以下の分類になったはずである。「2A」という分類は科学的には否定されているということも知っておく必要がある。

よく動物実験で大量の化学物質を投与して、どんな影響が出るかを調べたりするが、それは単に有害かどうかを判断するハザード評価であり、ヒトへの健康被害が実際にどれくらいあるかのリスク評価ではないという点はぜひとも頭に入れておきたい。

ＩＡＲＣがグリホサートを「２Ａ」に分類したあと、内閣府・食品安全委員会は２０１６年に「発がん性なし」の見解を公表した。ＥＰＡ（米国環境保護庁）は２０１９年、「ＩＡＲＣよりも包括的なリスク評価を行った結果、発がん性はない」と公表している。さらに米国国立がん研究所やＥＰＡの研究者が参加するコホート研究プロジェクトのＡＨＳ（農業者健康調査）は農薬散布者5万人以上を20年以上にわたり追跡した大規模な疫学調査を行っているが、グリホサートとがんに関連性はないと２０１８年に公表していた（バイテク情報普及会のサイト参照）。

農薬のリスクに対しては厳しいスタンスで知られるＥＵ（欧州連合）のリスク評価機関であるＥＦＳＡ（欧州食品安全機関）も２０１７年に「発がん性なし」の結論を公表した。ただその後、欧州ではグリホサートの使用を認めるかどうかが議論になり、その帰趨が注目されていたが、ＥＵ委員会は２０２３年11月、２０３３年までの使用を認める承認をした。一時は使用禁止が危ぶまれたが、農民団体の猛反発もあり、現実的な判断に落ち着いた。一方、ＥＦＳＡは3年間にわたり、様々なリスク評価を行った結果、２０２３年7月、「ヒトや動物、環境に対する深刻（クリティカル）な懸念はない」とする見解を公表した。

もうこれで決着と見てよいと思うが、残念ながら、こういう「発がん性なし」の安全な話はニュースにならない。記者の怠慢といってよい。ニュースになるのは決まって危ない話ばかりだ。こういうニュースのゆがみも、グリホサートのイメージが好転しない理由の一つといえるだろう。

グリホサートの摂取量はADIの1000分の1

それでも、グリホサートに反対する日本の環境市民団体は「米国産小麦を使ったパンから、0・1ppmのグリホサートが検出された」といったニュースを流し、反対の姿勢を崩していない。

こういうニュースに対しては、消費者のほうもある程度、基本的な知識で武装する必要がある。それに必要な武器が1日摂取許容量（ADI）である。第2章でも述べたように、ADIとは、ある特定の化学物質を長期間摂取したときの健康影響を知る指標だ。主に動物実験から導かれた毒性のない量（無毒性量）に100分の1（動物の個体差と人間の個体差をかけた安全係数）をかけた数値が、たいていの場合、ADIとなる。言い換えると、ADI以下の摂取量なら、生涯にわたって毎日、摂取し続けても健康に影響はないということだ。ここで重要なのは、1回きりの摂取ではなく、毎日、数十年間摂取し続けた場合でも、ADI以下なら大丈夫という点である。そしてグリホサートのADIは1日当たり体重1kg当たり1mgである。体重が50kgの大人なら、1日50mg（5万μg）がADIである。

では、グリホサートの実際の摂取量はADIのどれくらいなのだろうか。

データはやや古いが、厚生労働省は2011年度と2012年度、農薬などの1日摂取量調査結果を公表している。国民健康・栄養調査に基づく14の食品群（米や豆類、野菜、魚、肉類など）でグリホサートを分析した結果、「穀類・ジャガイモ類（小麦粉やパンなど）」と「調味料（みそやしょうゆなど）」の二つの食品群でグリホサートが検出された。検出量は約0・02〜0・15ppmだった。1ppm（ppmは100万分の1の単位）は、1gの中に100万分の1gの化学物質が含まれている濃度だ。0・1ppmがいかに少ない量かが分かる。

右記の二つの食品群から人が体内に取り入れたと推定されるグリホサートの1日あたりの摂取量は数十μg（μはマイクロで100万分の1の単位）で、ADIの1000分の1程度だった。生涯にわたって毎日摂取し続けても安全な量の1000分の1ということは、健康へのリスクは無視できるレベルだ。

一方、グリホサートに関して、短時間（24時間以内）の摂取で健康への悪影響があるかどうかを判断する急性参照用量（ARfD、Acute Reference Dose）についても、食品安全委員会は２０１６年に「設定は不要」としている。急性参照用量を設定するほどにグリホサートの毒性は強くないということだ。

急性参照用量は、２０１３年に従業員が冷凍食品に農薬を意図的に混入させたアクリフーズ農薬混入事件で注目された概念だ。農薬などに関して、ヒトへの短期的な急性毒性を知る指標である。その数値の設定が不要と国のリスク評価機関が決めたインパクトは大きい。これは、常に悪役扱いのグリホサートに関して言えば、明るいビッグニュースかもしれないが、ほとんど知られていない。ニュースになっていないからだ。どちらにせよ、グリホサートの実際のリスクがいかに小さいかが分かるだろう。

米国で頻発したラウンドアップ訴訟

賠償金3000億円の衝撃

ところが、2015年にIARCがいったん下した「グループ2A」というお墨付きは、グリホサートに反対する団体や弁護士にとっては、水戸黄門の印籠のような輝きをもって立ち現れた。この「発がん性」という印籠をかざせば、グリホサートが人にがんを起こすという訴訟で勝てるとにらんだのだ。2015年を境に米国では訴訟の嵐が吹き荒れることになった。

訴訟の経緯を知ると、日本では考えられないような驚きの連続である。なお、以下に出てくる「ラウンドアップ」という表記はグリホサートを主成分とする除草剤の製品名である。

まず、度肝を抜かれるのは、IARCの評価が発表された直後に米国の法律事務所が、ラウンドアップを使用したことがあるがん患者に対して、TVコマーシャルを使って訴訟に参加することを呼びかけたことだ。実際、筆者（唐木）は米国でこのTVコマーシャルを何度も見た。

翌年の2016年10月、呼びかけに数万人が応募していた。このため裁判所の対応が困難になり、裁判所は21地区37件の提訴をまとめて取り扱うことを決定した。

2年後2018年3月、裁判所の判断を助けるために、判事は原告、被告双方の推薦する科学者の意見を聞いた。その結果、原告側が主張する疫学調査を主な判断材料にして、がんとの関係は無視できないと判事は判断した。この時点で原告側の優勢が見えていた。

同じ2018年6月、なんとモンサント社はドイツのバイエル社に買収され、訴訟はバイエル社が引き継いだ。ただバイエル社に代わっても形勢は変わらなかった。

そして、2018年7月、双方の論争は重大な局面を迎えた。最初の裁判は、カリフォルニア州に住む末期がん患者のジョンソン氏が「校庭に散布したラウンドアップががんの原因」として訴えた裁判だった。原告ジョンソン氏は米国環境保護庁（EPA）の「発がん性はない」という判断は間違っていると主張。これに対し、被告バイエル社はIARCの「発がん性がある」という判断は間違っていると主張。原告は発がん性について当時のモンサント社が知っていたことを示す内部資料を示し、またEPAの担当者はモンサント社と不適切な関係があったのでEPAの判断は信用できないと主張した。

結局、判決はどうなったのか。

2018年8月、陪審員は、モンサント社が発がん性について「悪意を持って隠していた」として懲罰的賠償を含む2億8900万ドル（1ドル150円として約430億円）の判決を下した。バイエル社は再審を請求した。この判決は日本でも大きなニュースとして伝えられた。

しかし、発がん性があると言っているのはIARCだけであり、先進国のどの政府・公的研究機関も発がん性がないと言っている中で、なぜ、原告が勝利したのか。後で述べるように、弁護士はバイエル社内の私的なメールを入手して、これを基にして都合がいい筋書きを作り出すという巧みな戦略で陪審員の心をとらえたのだ。

バイエル社はすぐに再審を請求した。

2カ月後の2018年10月、裁判官は賠償金を7850万ドルに減額し、バイエル社の再審請求を却下した。その後、バイエル社の劣勢は続いた。

2019年3月、2番目のハードマン裁判でも旧モンサント社が敗訴し、8000万ドルの懲罰的賠償金判決が出た。

2019年5月、3番目のピリオド裁判でも旧モンサント社が敗訴し、これまでで最高の20億ドル（1ドル150円だと約3000億円）の懲罰的賠償金判決が出された。この衝撃のニュースは世界中に報道されて、「ラウンドアップは危険」という「都市伝説」が出来上がった。この訴訟を担当したウイズナー弁護士は一躍ヒーローとして大きく報道された。

バイエル社は控訴したが敗訴した。ロイター通信（2022年5月11日付）は、バイデン政権がトランプ政権の方針を覆して控訴を審理しないように最高裁に要請したと報道している。同社はそれまでに起こされていた12万5000件以上の訴訟の原告に109億ドル（1ドル150円とすると約1兆6000億円）の和解金を支払うことに同意した。和解に持ち込んだのは、原告約10万人を代表するニューヨークの法律事務所ワイツ・アンド・ラクセンバーグだった。

ＩＡＲＣの発がん性分類で大儲けができるとにらんだ弁護士たちの目論見は見事に成功したのである。

ところが、2023年になって形勢が変わり始めた。和解をしなかった原告の裁判はその後も続いていたが、2023年に行われた裁判のうち9件の裁判では一転してバイエル社が勝訴した。風向きが変わった原因の一つは、ＩＡＲＣの裁定の内幕が明らかになったことだ。しかし事態はそれほど甘くはなく、2023年に行われた裁判のうち4件では敗訴した。陪審員はラウンドアップの欠陥や企業の過失は認めなかったが、リスクについて警告を怠ったことを認めた。欠陥がないのになぜ警告が必要なのか、理解できないことが多い。そして法律事務所は現在もなお訴訟希望者を募集している。

IARCに入り込んだ活動家たち

IARCは世界保健機関の付属機関で本部はフランス・リヨンにある。日本を含む22カ国が加盟し、50カ国の約350人の研究者ががん対策のために発がん性物質の判定やがん予防指針の策定などに従事している。

例えば、福島第一原発事故後に子どもたちが甲状腺がんと判定された問題では「過剰診断が原因であり、甲状腺がんのスクリーニング検査を推奨しない」と勧告するなど科学的な判断を基に一定の役割を果たしている。

しかし、グリホサートの評価をめぐる問題ではサスペンス映画のような暗躍が露呈した。その闇の世界を世に知らせたのは複数のジャーナリストだった。

ラウンドアップ裁判には多くの証人が出廷して、原告側と被告側からの様々な質問に答えたのだが、その質疑を丹念に追い、その真偽を確認することで真相にたどり着いたジャーナリストたちがいたのだ。それがロイター通信のケイト・ケランド記者、世界的な経済誌であるForbesのジェフリー・コバット記者、そしてブロガーであるリスク・モンガー氏などだ。以下に彼らの調査記事を要約して紹介しよう。

当初、疑惑の目が向けられたのは、米国政府で働いていた統計学者クリストファー・ポルティエ氏だった。ＩＡＲＣが設置した科学委員会の委員長として２０１４年にグリホサートの評価を行うことを提案し、グリホサート評価パネルで特別顧問を務めていた。評価パネルが作った報告書の原案には「グリホサートに発がん性はない」と書かれていた。ところがその後、この結論が削除され、逆の結論に置き換えられた。ポルティエ氏がかかわったかどうかに関して、裁判でこの点を質問されたポルティエ氏は結論が変更された事実を認めたものの、いつ、どのようにして変更されたのかは知らないと答えている。

評価パネルを動かしていたのは委員長であり、ポルティエ氏は特別顧問にすぎない。そこで疑惑が浮上したのが、委員長を務めた米国の疫学者アーロン・ブレア氏だった。彼は前述の米国国立がん研究所やＥＰＡの研究者が参加する農業者健康調査（ＡＨＳ）の担当者でもあった。ＡＨＳの調査ではグリホサートとがんの関係が否定されていたことを、当然のことながらブレア氏はよく知っていた。そして２０１３年の初めに、ブレア氏らは調査結果を報告する論文の準備を開始した。内部文書によれば、担当者からはグリホサートとがんの関係を否定するデータは極めて重要であり、「ＩＡＲＣの決定に間に合うように論文を出版しなければ無責任だ」との意見があった。

そして、この論文は２０１４年に発表された。ところが不思議なことに、最も重要なグリホサートのデータは除外されていた。このことについて裁判で質問されたブレア氏は、論文の枚数が多すぎるためにグリホサートのデータを収録できなかったと答えている。また、このがんとの関連を否定するデータが発表されていたら、IARCの評価が変わっていたのかと聞かれて、「イエス」と答えている。

IARCは発表された論文しか取り扱わないことにしている。この規則に従えば、未発表のAHSのデータを無視したことに問題はない。しかし、そのような規則のすき間を狙って、ブレア氏がAHSの調査結果の発表を故意に遅らせることで、事実とは逆の裁定をIARCに出させたことは容易に推測できる。ちなみにグリホサートとがんとは無関係であることを記載した論文が発表されたのは2018年である。

驚くべきことに、ブレア氏はラウンドアップに反対する環境団体である「環境防衛基金」（EDF）の上席研究員でもあった。そのような人物がなぜIARCの評価パネルの委員長に就任したのか、その利益相反をIARCはなぜ調査しなかったのか。そうした多くの疑惑についてIARCは答えていない。そして、IARCはあらかじめ決められた結論に合うように証拠を再編集したという世界の研究者がもつ疑惑は晴れていない。

法律事務所の思惑

ここまでは科学者の話だが、さらに驚いたことに、これらの科学者を動かしていたのは米国大手法律事務所だったという疑惑が浮上したのだ。闇に隠れていた統計学者のクリストファー・ポルティエ氏の存在があぶり出されたのである。

2015年3月にIARCがグリホサートの評価を発表したが、その直後に法律事務所は訴訟希望者を募集している。なんとその時期にポルティエ氏は二つの法律事務所の訴訟コンサルタントを務める契約を結んでいたのだ。そして契約を結んだことを秘密にするという契約も交わされていた。これについてポルティエ氏は、グリホサートに関する仕事で1セントも受け取ったことはないと主張してきた。

ところが、2017年10月に英国のタイムズ紙は、ポルティエ氏が法律事務所から2000万円を受け取っていたことを報道した。さらに彼はグリホサート反対運動を展開している反科学的環境団体「環境防衛基金」からも支払いを受けていることが判明した。こうしてポルティエ氏の明確な利益相反が明らかになった。ポルティエ氏は産業界のコンサルタントの実績がある科学者は利益相反があるとしてIARC委員から排除する一方で、環境団体のコンサルタント実績は利益相反に当たらないとする仕組みを作っていたのだ。化学物質の研究の多くは企業研究者が実施しているのだが、彼らはＩＡＲＣから排除され、環境団体側の研究者だけが残るという偏った委員会である。

ＩＡＲＣの評価の直後にこれらの法律事務所がＴＶコマーシャルを開始して、数万人のがん患者を集めた手際の良さもまた驚くべきものだが、法律事務所がＩＡＲＣの評価結果を予め知っていなければこのような離れ業はできない。

それでは法律事務所はなぜこの問題に加担したのだろうか。

米国には懲罰的賠償金という制度があり、驚くような高額の賠償金判決が出されることがある。そしてそれが米国の法律事務所の大きな収入源になっていた。例えば、２０１４年には肺がんで死亡した男性の妻が米国大手たばこ会社Ｒ．Ｊ．レイノルズを訴えて、２兆円以上の懲罰的賠償金の支払いを命じられた。法律事務所には数千万円の収入になる。そのほかにも多くのたばこ訴訟が行われ、法律事務所の大きな収入源になった。ところが、たばこ訴訟はそろそろ終わりに近づき、法律事務所は新たな収入源を探していた。

そのような事情から、次のような推測が行われている。ポルティィエ氏はブレア氏やその他の環境団体の息がかかった科学者と共にＩＡＲＣに入り込み、法律事務所の訴訟キャンペーンの大きな手助けになる評価を出し、その功績を持って法律事務所とコンサルタント契約を結んだ。こうして法律事務所もポルティィエ氏も高額の収入を得ることができた。また、ブレア氏などが所属する環境団体には多額の寄付金が集まった。

環境団体の反論

ポルティエ氏が批判されて失脚することは環境団体にとっては大きな損失になる。そこで環境団体は彼を弁護し、ケランド記者などを批判するキャンペーンを展開している。その主な主張を紹介し、解説する。

〈反論1〉EUとドイツ食品安全委員会は企業の怪しげな未公開の研究結果を使ってIARCの評価を批判した。他方、IARCは公表されることで公認された論文のみを使用している。だからIARCの主張が正しい。

筆者（唐木）の見解：これは一見分かりやすい主張だが、毒性の研究のほとんどは学術のためではなく、製品の販売の承認を得るためである。だから製品の製造・販売に関与する企業の科学者による研究が圧倒的に多い。さらに研究の内容は特許や企業秘密に関係するものがあり、認証機関以外には公表できないものもある。企業による研究には利益相反がつきまとうが、科学の世界では利益相反がある論文でも、その内容を厳しく検証して科学に基づいて評価する。企業の研究だから間違い、未発表の研究だから間違いという先入観が間違っている。日本の食品安全委員会はIARCよりも多くのデータを検証して発がん性なしとの結論を公表した。

〈反論2〉ポルティエ氏は100人の科学者と連名でEUの結論を批判した。しかし、ポルティエ氏は農薬業界から攻撃され、虚偽の告発がなされて科学者としての評判を貶められた。

筆者の見解：ポルティエ氏は行動力があり、環境団体側の多くの科学者を組織している。しかし、科学の正しさは抗議文に名前を連ねた科学者の数で決まるのではなく、科学的に正しいことが認められた論文の数とその内容で決まる。ポルティエ氏に対する批判は、彼の明確な利益相反と非科学的な言動という証拠に基づくものであり、虚偽ではなく真実の告発である。グリホサートがラットでがんを引き起こすという怪しげな論文を書いて掲載取消し処分になったセラリーニ氏も、自分は大企業の虚偽の告発によって科学者としての評判を貶められたと、全く同じ言い訳をしている。

〈反論3〉EUは業界寄りの結果が出るような評価法を使っているため、発がん性や遺伝毒性を示す論文はどれも信頼できないと却下されてしまった。またEUの評価報告書が、企業が提出した申請書の丸写しだったというスキャンダルがあった。さらにIARCの委員名は公表されているが、EUの評価は匿名の公務員によって行われている。どちらが信用できるのかは明らかである。

筆者の見解：論文には科学的に正しい論文と、証明が不十分あるいは間違った論文がある。そしてそれを見分ける方法は多くの科学者の同意のもとに行われるものであり、その際には業界寄りとか環境団体寄りなどの社会的価値は一切考慮しない。自分の論文が悪い評価を受けると、評価法が悪いのだ、と文句をつける科学者はいるが、そのような人は科学を知らないと批判される。また丸写しについては、企業研究の結果が正しければ、その結論をそのまま引用することには何の問題もない。引用を丸写しと言い換えるのもまたよくあるだましのテクニックである。委員名を公表することで公正さを保つことができるが、公表することにより委員に圧力がかかる場合などは非公表にすることが正しい。実際に公表された委員に環境団体が圧力をかけた例は多い。

〈反論4〉米国では法的手続きにより弁護士がモンサント社の内部記録（電子メール、報告書など）を入手できた。その内容はモンサント社が科学者、規制当局、メディアを操作していること示している。さらに、科学者が書く学術論文や新聞記事のゴーストライターを同社社員が務めていた。

筆者の見解：公開されないことを前提にしてやりとりをしている個人のメールは、うわさ話や疑問や冗談などがあふれている。また米国では科学者が大学、行政の研究機関、企業の研究機関の間を転職することはよくあり、どこにも知人がいるので、職場を越えて個人的に相談することもよくある。そのやりとりを全て公開すれば、そこからどんなストーリーでも作ることができる。とはいえ企業内の文書が公開されることを予測しなかったことはモンサント社の危機管理の不足と言えよう。学術論文や新聞記事を別人が書くことは問題だが、責任をとるのはゴーストライターではなく筆者であり、責任の所在は明確である。

〈反論5〉ＥＵ各国の１４０を超える市民社会組織と科学機関は農薬規制の強化を求める「農薬規制科学のための市民連合」（Citizens for Science in Pesticide Regulation）を結成し、安全性試験を企業から独立して実施すること、関与する専門家に厳格な利益相反の明示を義務付けること、農薬の使用は他に手段がない場合に限ることなどを提案した。

筆者の見解：実現困難な理想論である。安全性試験を公的機関などで実施し、その費用を税金から出すのであれば企業は喜ぶだろうが、納税者が納得するだろうか。費用を企業が出すのであれば現状と同じであり利益相反になる。企業が実施した試験を厳しく審査する現在の方法が最も現実的である。利益相反の明示が求められるのはむしろ環境団体側の科学者ではないだろうか。

〈反論6〉モンサント社は各国で疑わしいロビー戦術を展開した。例えばアイルランドでは農業フェアなどのイベントでグリホサート支持の農家を動員する偽の草の根キャンペーンを行い、ＥＵの関連委員会の前夜にはＥＵ議会議員を豪華な夕食会に招待していた。

筆者の見解：これは典型的なブーメランであり、税務記録の調査から、環境団体は大手農薬企業や業界団体よりはるかに多くのロビー活動資金を使っていることが明らかになっている。情報戦争に勝利するためには多量の情報の発信が必要だが、現状では環境団体側が優勢であり、だからラウンドアップ反対運動は収まることがない。また多くの慈善財団は「科学を進歩させる」という目的とは正反対のことを行っている環境団体を支援している。

〈反論7〉世界の多くの国、地域、都市が、グリホサートを主成分とする除草剤の使用禁止や制限を行っている。

筆者の見解：たしかに環境団体の運動とそれに呼応した一部の政治家の働きで一部の国や地域では使用制限が行われている。しかし、一律の禁止ではない。作物の生産に必要な農業分野ではほとんど禁止されておらず、世界のほとんどの国は使用を続けている。ラウンドアップの使用を審議していたＥＵも、２０２３年11月に、その使用を今後10年間延長することを決定している。

〈反論8〉ＥＵの Farm to Fork 戦略では農薬の使用量を50％削減するという目標を設定している。生物多様性と生態系の保護、そして人間の健康のためにも、ラウンドアップのような有毒な農薬の削減が急務となっている。

筆者の見解：日本でもＥＵとよく似た「みどりの食料システム戦略」を農水省が策定して、化学農薬の使用量をリスク換算で50％削減することになった。米国農務省（ＵＳＤＡ）はＥＵの目標が達成されたときには、農業生産高は現在に比べて12％減少し、食料価格は17％上昇すると予測している。環境保護の重要性は言うまでもないが、そのために食糧価格の上昇や供給量の減少という深刻な問題が起こる可能性を政府は国民に説明していない。

フェイクニュース・ビジネスの実態

錯綜するプレーヤーたちの思惑

フェイクニュースを流すことが大きなビジネスになっている実態を見ていただいた。米国の訴訟の実態を知ると背筋が寒くなるのではないだろうか。フェイクニュース・ビジネスは遠い世界の話ではなく、どの組織、人にもかかわりのある身近な存在である。私たち皆がどのような形でフェイクニュース・ビジネスに関わるかをざっとおさらいしておきたい。

①**政府と行政**　国民の健康を守り、食料の安定供給を図り、環境を守るという困難な課題を解決する任務を負う。その言動はメディアにより厳しく監視されているため、フェイクニュースを流すことは困難であり、メリットはない。ただし国民を安心させるためのBSE全頭検査神話や、国民を対策に協力させるための新型コロナウイルス恐怖神話のように、目的のために手段を選ばなかった事例はある。フェイクニュースの規制もその役割だが、法律の整備が追い付いていない。

②政治家　与野党の政治家の中に食品安全の専門家もフェイクニュースの専門家もほとんどいない。しかし、特に野党には環境団体と協力してラウンドアップ危険論などのフェイクニュースを積極的に拡散し、農薬禁止などの実現不可能な政策を掲げる「とんでもない」議員がいる。そして彼らは国民の一部の支援を得て議員に留まっている。

③企業　株主のために収益を上げる義務を負うが、同時に社会貢献が求められる。広告や表示でフェイクニュースを流すことは優良誤認などの法律違反になり、メディアの監視も受けるので、科学的根拠がある主張に限られる。企業と業界団体は情報発信に必ずしも熱心ではなく、フェイクニュースに積極的に対応する例は少なかったが、少しずつ変わってきている。

④科学者　多くの科学者は中立・公正な立場で研究しているが、残念ながら自身の思想信条のためあるいは環境団体と組んで経済的利益を得るために科学にフェイクを持ち込み、安全なものを危険と主張する研究者もいる。しかし科学は検証の繰り返しなので、偽科学はいずれ化けの皮が剝がれる。ところがメディアは危険情報を大きく報道するが、偽科学であることが分かったときには報道しないので、危険情報は生き残る。これが彼らの目的である。

⑤環境団体　活動資金は主に慈善団体と個人献金に頼るので、常にその活動をアピールする必要がある。そこで人目を引く実験動物施設襲撃、GM作物圃場の破壊、捕鯨船への体当たり、そして最近の美術館での破壊活動のような過激な行動が行われる。また科学者を雇用

し、あるいは研究費を給付することで協力関係を結び、環境団体の主張に沿った論文を作らせ、発言させている。情報発信は環境団体の生命線であり、虚実とりまぜた巧みな情報操作で世論を作り上げる試みが成功し、特にEUでは政策決定に大きな影響を与えている。

⑥米国法律事務所　懲罰的賠償金は米国だけの仕組みだが、法律事務所の大きな収益源になる。例えばたばこ会社がたばこの毒性と習慣性を隠していたことを示す内部文書を暴露することで巨額の懲罰的賠償金を獲得した事例があるが、ラウンドアップ訴訟はその第2幕である。違う点は、たばこは有毒だったが、ラウンドアップは環境団体と組んだ法律事務所が危険というフェイクニュースを作り上げたことである。これは歴史に残る詐欺事件であり、弁護士の存在意義が問われる出来事である。そして米国の裁判の結果が世界に大きな影響を与えている。

⑦IARC（国際がん研究機関）　WHO（世界保健機関）の一機関で、発がんの可能性があるアクリルアミドのような化学物質、赤身肉などの食品、美容師などの職業、シフト勤務のような働き方、紫外線のような自然現象などあらゆるものをリストアップしている。しかし、例えば美容師は他の職業よりがんが多いのかなど、実際にどの程度がんを起こすのかは調査していない。またグリホサート問題が示すように、環境団体所属の研究者が利益相反を隠してIARCに入り込み、環境団体の主張に沿った評価を出したという大きな問題が明らかになった。IARCが甘味料アスパルテームをグループ2Bに加えた裏側にも環境団体と

組んだ科学者の存在があり、彼らはアスパルテームをグループ2Aに入れようと画策したが、それはあまりにおかしいという常識派の委員の反対で2Bになった。しかし、今後、グリホサートと同様に、アスパルテーム訴訟が起こる可能性は残された。

⑧メディア　社会に大きな混乱をもたらす問題について公平・公正な立場で真実を伝えることが役割であり、IARC問題について海外の一部メディアは報道したが、日本のメディアは問題の所在さえ知らないと思われる。そして記者や編集者の思い込みと科学の知識の不足のため、環境団体や偽科学を信じて報道する例が少なくない。

⑨国民　環境団体と企業の間に激しい情報戦争があり、環境団体側が圧倒的な勝利を収めていることを知る国民はほとんどいない。どちらの言い分が科学的に正しいのか、どちらが消費者のためになるのかの判断が必要なのだが、そのためには科学の知識と総合的な判断力が必要であり、簡単なことではない。判断を助けるのがメディアだが、そのような力があるとは思えないことは残念である。その結果、フェイクニュースや陰謀論を信じる国民が一定数生まれている。このような状況が続けば社会機能の正常な維持と発展が危機的な状況に陥りかねないことを認識しなくてはならない。

第5章

メディアが好む危ない情報にどう対処するか

——ネオニコチノイド系殺虫剤

偏った情報はより「偏って」拡散される

意図的に「切り取られる」ニュース

ニュースは自然に発生するものではない。記者が何かしらの意図をもって、意図的にある状況を切り取って流す。それがニュースだ。その意味でどんなニュースでも記者の主観が反映されており、客観的なニュースは存在しない。

2015年夏、安保関連法案に反対して、国会前で大規模なデモ、集会があった。当時、筆者（小島）はまだ毎日新聞の現役記者だった。一度だけ国会周辺に行ったところ、集会に参加していた人たちの大半は60代を超えた高齢者だった。しかし、テレビや新聞で大きなニュースになっていたのは、学生たちで組織した「SEALDs」（シールズ、自由と民主主義のための学生緊急行動・2016年に解散）だった。若い世代がデモを起こすのは久々のことで珍しい。かつて学生運動を経験した60歳以上のオールド左翼にとって、その学生たちの登場は頼もしい存在に見えたに違いない。そういう背景もあって、テレビや新聞の記者たちが学生たちの行動に注目するのは不思議ではない。

２０１５年当時のデモなどをルポした『シニア左翼とは何か』（小林哲夫著）でも書かれているように、デモに参加した大半は高齢者だったという事実は目立つ形では報道されなかった。メディアはありのままを報じるわけではない。特異的な現象を切り取って、そこをズームアップする。中でも、政府を批判する行動は記者の目に留まる。何かに「反対だ」と叫ぶ行動は、ニュースになりやすいのである。

このことは科学をめぐる言説の世界でも起きる。ニュースが科学に関わるテーマであっても、メディア媒体の体質（カラー）によって差はあるものの、一般的に記者たちは政府や既成の学会に批判的な学者を重視する。

ネオニコ系農薬を扱ったＴＢＳ「報道特集」

そのよい例が、２０２１年11月6日に報道されたＴＢＳテレビ「報道特集」の「ネオニコ系農薬　人への影響は」だった。ネオニコ系農薬とは、ネオニコチノイド系農薬のことだ。たばこのニコチンに似た化学構造をもつ殺虫剤で、ミツバチの大量死に関係しているのではないか、ということでよく話題になってきた。現在、日本ではクロチアニジン、ジノテフランなど7種類のネオニコチノイド系殺虫剤が農薬取締法で認められている。

TBSの「報道特集」の中身を簡単に説明すると、以下のようになる。

「1993年を境に宍道湖（島根県）でワカサギが激減したのは、ネオニコチノイド系農薬の使用が原因である。マウスの実験では、従来は無害とされてきた量よりも低い投与量で不安行動を示した。これは日本で増えている発達障害（自閉症など）と関連するのではないか。マウスにネオニコチノイド系農薬を与えると体内の濃度は上がっていく。政府は適正に使用すれば安全だと主張するが、ヒトの健康への影響が疑われるのではないか」

この番組はいまもYouTubeで見ることができる。何度見ても、ネオニコチノイド系農薬がワカサギが減った原因であり、マウス実験から子どもの脳への影響があるのではないかと思わせるメッセージが伝わる。TBSテレビの記者たちは「危ないから禁止すべきだ」と訴えたいのだろう。

この番組だけを見ると、多くの人は「ただちにネオニコチノイド系農薬を禁止すべきだ」と思うはずだ。そう思わせるように番組の構成が意図的に作られているから、当たり前と言えば当たり前である。その意味では記者たちの狙いは成功したといえる。

しかし、あとで述べるように、この番組が偏っていることは否めない。ニュースを作った製作者が「これは偏っています」とは絶対に言わない。偏っているかどうかは、別の角度から見た言説を知って初めて分かる。従来のファクトチェックは「どの程度偏っているか」までは検証できていない。偏りの度合いまで検証するとなると、心身とも相当の労力が必要だからだ。しかし、こういう偏ったニュースこそを検証しなければならない。その一端をここでやってみようと思う。

より「偏って」伝わる危険性

この番組の影響だけではないだろうが、その後、ネオニコチノイド系農薬の危険性はまるで伝言ゲームのようにSNSや自治体の議会に飛び火していった。報道の偏りが、より偏りを増し、危ない情報がより増幅されていったのだ。

その例が、TBSに登場した星信彦・神戸大学大学院教授を講師に招いたオンライン学習会に関する報告だ。2022年3月、「コープ自然派おおさか」などの10生協が加盟する「生協ネットワーク21」が開いた学習会の報告の冒頭内容をネットで見て驚いた（Table 2022年6月9日）。以下のように書かれていた。

「ネオニコチノイド系農薬（以下、ネオニコ）は昆虫の脳の神経細胞を異常興奮させ、正常な神経伝達を阻害することで効果を発揮し、ミツバチの失踪や大量死の主犯とされています。1993年にネオニコが発売されると、うつ病や発達障害、不登校、いじめなどが急増。2012年、ネオニコが哺乳類の脳にもニコチン同様の興奮性反応を引き起こし、精神疾患や発達障害と関係する可能性を木村―黒田純子さんが指摘しました」

この中でびっくりするのは、「1993年にネオニコが発売されると、うつ病や発達障害、不登校、いじめなどが急増」という単純な伝え方である。もちろん、TBSの報道はそこまで言っていない。TBSのナレーション自体は慎重な物言いであり、断定的な口調ではない。ただ、番組に登場する複数の専門家が皆同様の考え方をもつ学者ばかりなので、その番組内容が一面的過ぎる点が問題である。その情報の一面性（偏り）が市民に伝わると、「ネオニコが発売されたあとに、うつ病や発達病害、不登校などが急増」という全く根拠のない話に化け、それが伝言ゲームのように伝わっていく。SNSに出てくる書き込みはこの種の伝言ゲーム的なジャンク情報（ガラクタ情報）が多い。

この種の危うい情報を信じる地方議員は少なくなく、しばしば自治体の議会でも質問される。その最たる例が静岡県焼津市のケースだった。知人に教えてもらって、同議会の映像配信（2023年2月定例会）を見た。女性議員は「オーガニック給食を目指すフォーラムに参加したところ、農水省の農業環境対策課の方がいらして、『農薬は薬ではなく、生物を殺す毒なので、できるだけ使わないことが大事です』とおっしゃった。日本は農薬使用大国。国内の3歳児、約200名の尿から有機リン系・ピレスロイド系農薬の代謝物が100%、ネオニコチノイド系が79・8%検出されました。これら殺虫剤は低用量でも子どもの脳の発達に悪影響を及ぼすことが多数報告されています。グリホサートは、曝露した個体や子で影響がなくても、孫・ひ孫世代で健康影響が起こる動物実験も出ています。海外では禁止になっている除草剤（グリホサートのこと）が日本ではどこでも手軽に買える状況です」（筆者で一部分を要約）などと質問していた。

グリホサートの影響が孫の代まで起きる科学的根拠はない。グリホサートは、使用を制限している国はあるが、いまも世界の150カ国以上で使われている。「海外では禁止されている」は誇張だ。「アメリカ・カナダから輸入される小麦は収穫後のカビや虫の発生を抑えるためにラウンドアップ（筆者注：グリホサートを主成分とする除草剤の製品名）が振りかけられて日本に入ってくる」との質問もあったが、グリホサートは除草剤なので収穫後のカビや虫の発生には使われていない。このように大いなる誤解が自治体の議員にまで及んでいることが分かる。

「日本の基準値はEUよりも甘い」は一面的

ＴＢＳの偏った情報は新聞記者にも広がった。ＴＢＳテレビ報道局の川上敬二郎ディレクターが自ら語り手として、映画「サステナ・ファーム　トキと1％」を作った。毎日新聞の山田孝男特別編集委員がこの映画を毎日新聞の記事（2023年3月27日付）で紹介した。山田記者は「日本の残留農薬の規制は欧州連合（ＥＵ）に比べてはるかに甘い。映画はそこを掘り下げる。〈環境過激派〉的な偏向はない。ちまたの疑問に答える常識的で公平な編集である」などと全面的に映画を肯定的に持ち上げた。私から見れば、環境過激派的な偏向そのもので、「常識的で公平」とはとても思えないが、常に農薬を敵視する記者や編集者から見れば、公平な映画に見えるのだろう。

残留農薬の基準値が出てきたついでに言えば、日本の新聞の記者はいとも簡単に「日本の基準値はＥＵよりも甘い」と書く傾向があるが、そうではない例はいくつもある。そもそも残留農薬の基準値は自由貿易に支障がないよう国際的に整合性がとられている。とはいえ、気候風土や農薬の使用条件、輸出入の条件が異なれば、残留農薬の基準値は作物ごとに異なっていて当然であるし、国ごとに異なっていても少しも不思議ではない。例えば、コメが主食の日本と、そうではない国でコメの基準値が異なるのは当然である。

ジャンク情報に対するカウンター情報

健康影響の指標は基準値でなく、ADI

さらに言えば、農薬や食品添加物による健康影響は、食品を通じた摂取量が1日摂取許容量（ADI）以内に収まっているかどうかで判断する。このADIの数値は日本も欧州連合（EU）も同じだ。当たり前である。同じ生理作用をもつヒトとして、西欧人のほうが農薬の毒性に対して弱いなんてことがあるわけない。ある特定の残留農薬の基準値は、ADI以下に収まるようにその国の事情に応じて、作物ごとに基準値が決まっているに過ぎない。

そもそも残留基準値は健康影響を測る指標ではない。EUも日本も健康影響をはかる指標のADIは、同じ数値を採用しているという事実をなぜ、記者たちは報じないのか。

EUの基準値が常に厳しいわけではないことを知ってもらうため、EUのほうが基準値が甘い例を紹介しておこう。放射性セシウムの一般食品の基準値がそれである。日本は1kgあたり100ベクレルなのに対し、EUはなんと10倍以上も緩い1250ベクレルである。例えば、福島産のコメから1kgあたり200ベクレルの放射性セシウムが検出されれば、日本では販売禁止になるが、EUではそのまま流通する。日本のほうがEUよりもはるかに厳しいのだ。

しかし、放射性セシウムの基準値は異なっていても、健康影響への指標となる管理目安(放射線の場合は年間1ミリシーベルト)は、日本もEUも同じだ。確かに放射性セシウムの基準値はEUのほうが緩くなっているが、だからといって、EUは人の健康影響を軽視しているわけではない。EUでは、放射性セシウムを含む食品が市場に流通する割合は全体の1割程度だろうという前提で1250ベクレルが導き出された。これに対し、日本は国産の食品全てが放射性セシウムを含むという厳しい前提で基準値を決めた。前提が異なれば、基準値が異なるのは当然である。ただし、すでに述べた通り、健康を守る管理目標値はどちらも同じである。目的は同じで手段が異なるだけである。

それぞれの国の事情で異なる基準値が存在するのは当然であり、どちらが高い、低いと言うことに意味はない。基準値は健康影響を測る指標ではないからだ。

話はややそれたが、要するにTBS「報道特集」の例のような偏った報道は往々にして、伝言ゲーム的に不正確さが増幅されていく。では、偏った情報の拡散をどう食い止めればよいのだろうか。それには「こういう有力な事実もありますよ」というカウンター情報を出すしかない。これもファクトチェックの一つだ。

根拠となった論文に対する反論

そこでファクトチェックのあり方のモデルを示してみたい。ＴＢＳの「報道特集」の根拠になっているのが、山室真澄東京大学教授が２０１９年11月に「Science」誌に発表した「ネオニコチノイド系殺虫剤は水生食物連鎖を破壊して漁獲量を減らす」と題する論文だ。そこには「島根県宍道湖での調査により、水田などで利用されるネオニコチノイド系殺虫剤が、ウナギやワカサギの餌となる生物を殺傷することで、間接的にウナギやワカサギを激減させていた可能性」が書かれている。ところがこの論文には明らかな間違いがあるとして、本書の共著者である唐木氏は以下のような論考をWedge ONLINEに載せた。

まずは山室氏の論文の要点を紹介する。

①ワカサギがえさにする動物プランクトンであるキスイヒゲナガミジンコが１９９３年を境にして激減した。②最初のネオニコであるイミダクロプリドが93年春から水田で使われて湖水を汚染している。③時期的な一致からネオニコが宍道湖を汚染し、動物プランクトンが死滅し、えさがなくなったためワカサギがいなくなった可能性がある。ネオニコは世界中で最も多く使用されている殺虫剤なので、同じことがどこでも起こり得る。

一見、説得性があるが、よく見るといくつもの問題がある。第一に、宍道湖のワカサギは

1994年以後ほとんどいなくなったのだが、これがネオニコの出荷量と相関するのであれば、全国のワカサギもまた94年に激減するはずである。これが「宍道湖と同じことはどこでも起こりうる」という山室論文の主張である。

そこで農林水産省の統計を見ると、全国のワカサギの漁獲量は1956年以後ほぼ直線的に減少し、ネオニコの使用が始まった93年以後、減少が加速してはいない。漁獲量が多いのは青森県、北海道、秋田県、茨城県の順で、これらの地域ではまだ漁獲が続いている。他方、滋賀県では2006年、福島県では2011年に漁獲量がゼロになるなど、地域により減少の速度に差が見られる。もちろんこれらの全ての地域で1993年以後ネオニコが使用されている。このように、全国レベルではネオニコの使用とワカサギの減少は無関係であり、宍道湖での時間的な一致は単なる偶然にすぎないことになる。

次は宍道湖の動物プランクトンの量だが、論文では1993年を境にして激減したと述べている。しかし、動物プランクトン量は81年からほぼ直線的に減少し、93年に最低レベルに達している。その影響を受けてワカサギも激減したということであり、これをネオニコと結びける根拠は何もない。

それでは93年の宍道湖には動物プランクトンを殺すような高濃度のネオニコが存在したのだろうか。論文には次のように書かれている。「宍道湖の流域にある水田から流れ出る小川の河口付近で2018年6月に測定した各種ネオニコの総量は0・072㎍／ℓであり、これは感受性の高い水生無脊椎動物に慢性毒性を誘発する十分な量である」

不思議なのは、動物プランクトンの減少は1993年の出来事と言いながら、ネオニコの測定値は25年後の2018年の数値を示していることだ。農薬工業会は、1993年のネオニコ販売量は2018年の20分の1と述べている。さらに1993年当時は、ネオニコはイミダクロプリド1種類しかなかった。

この問題について、山室教授は論文ではなく著書の中で、島根県全体での1993年度のイミダクロプリド出荷量は118kg、2018年度は約10倍の1169kgだったこと、そして18年に測定した宍道湖のイミダクロプリド濃度は0・14μg／ℓだったことから、1993年の濃度は0・014μg／ℓと推定し、「これは特に感受性が高い動物の慢性毒性濃度として報告されている0・0086μg／ℓを超えており、キスイヒゲナガミジンコはただちに死に至ることはなかったとしても、再生産にまで至らず減少した可能性が高い」と述べている。

ところが山室教授らは18年4月に「宍道湖水におけるネオニコチノイド濃度の予備的報告」と題する調査結果報告の中で異なる事実を述べている。報告では、宍道湖内3地点と、水田排水を集めて宍道湖に流す排水機場の表層水を測定したところ、排水機場と湖内1地点では検出されたが、他の2地点では検出されなかった。そして湖内で検出された0・031μg／ℓという濃度は最も敏感な無脊椎動物に対するネオニコの慢性毒性濃度である0・035μg／ℓに達していなかったと述べている。ところがこの事実を「Science」論文にも著書にも書いていない。重要な実測値を無視しなくてはならない理由が何かあるのだろうか。

イミダクロプリドの毒性に関する環境省の見解は全く違う。イミダクロプリドを含む水中でオオミジンコを48時間飼育し、その半分の遊泳が阻害される濃度を測定した結果、8万5000㎍／ℓだった。山室教授が著書で主張する0・0086㎍／ℓとの天文学的な違いを山室教授は説明していない。

さらに疑問が生じる。山室教授が著書で推定している1993年の宍道湖のイミダクロプリド濃度0・014㎍／ℓで果たしてワカサギは激減するのだろうか。この推測を否定する調査結果が2022年に報告されている。秋田県立大学が八郎湖とここに流れ込む主な河川のネオニコ濃度を調べたところ、その一つであるジノテフランが湖では中央値で1・3㎍／ℓ、河川では0・6㎍／ℓであり、宍道湖での濃度より10倍から1000倍高かった。ところが秋田県の統計などによると、八郎湖ではワカサギの漁獲が続いている。この調査結果は、ワカサギの消滅とネオニコの関係を明確に否定している。

やや長い引用になってしまったが、ここまでが唐木氏のファクトチェックである。筆者（小島）は唐木氏の反論に説得力を強く感じる。皆さんはどうだろうか。唐木氏の反論を読み、少しは見方が変わったのではないだろうか。これがニュースを読み解くために役に立つカウンター情報である。つまり、偏った情報に対しては、別の視点から見た新たな情報が必要なのだ。ワカサギが減った背景にはいろいろな要因がからんでいるはずだ。

そもそも、生態系という複雑な現象の因果関係を単一の原因（特定の農薬）で説明しようとする手法に限界がある。これは、地球温暖化に関する複雑な要因を二酸化炭素の増加だけで説明するのは科学的に無理があるという考え方にも通じる。

こういう異なる視点からの情報提供がこれまでのファクトチェック活動には欠けていた。従来の「正確」「不正確」「誤り」「根拠不十分」などといった短い言葉ではカバーしきれないテーマもあるわけだ。

ＴＢＳの「報道特集」が報じた内容は、唐木氏が常々強調しているように、まだ学会で十分な検証を受けていない検証不十分な段階でのいわば仮説である。一つや二つの論文で国や学会の科学の基本が変わるわけではない。ＴＢＳはメディアの矜持をもって問題提起として報じたのだろうが、その内容はあまりにも一面的過ぎたといえる。

殺虫剤の生態リスクは92％減少

ＴＢＳが報道したような情報に対して、実は、２０２２年9月12日、農林水産関係の国の研究機関である農業・食品産業技術総合研究機構（農研機構）から重要な研究成果のリリー

図表7／農薬の生態リスクの減少

1990年から2010年にかけての5年毎の累積リスクの推移・350地点の累積リスクの分布はバイオリンプロットで示され、太い部分ほど多くの地点が集まっており、白丸が中央値、黒棒は全体の25%〜75%が分布する範囲、黒線の下端と上端は最小値と最大値を示している。

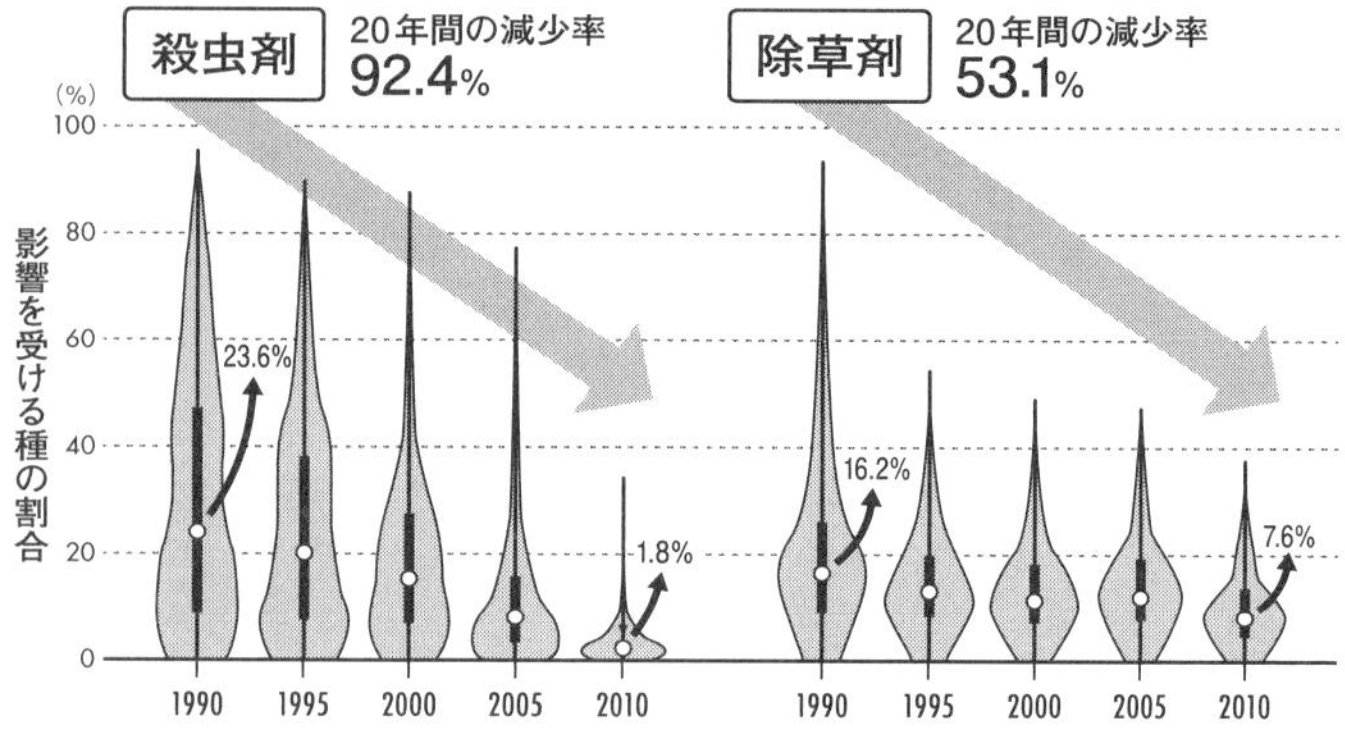

出所／農研機構のサイトより筆者（小島）作成

スが公表されていた。１９９０年〜２０１０年の20年間で水稲用農薬67種類の生態リスクを解析したところ、なんと殺虫剤の生態リスクは92％も減少し、除草剤のリスクも53％減っていたというのだ。この67種類の中にはネオニコチノイド系農薬として知られるイミダクロプリド、クロチアニジン、チアメトキサム、ジノテフラン、ニテンピラム、チアクロプリドの6種類の農薬も含まれる。つまり、ネオニコチノイド系農薬の生態リスクは２０００年をピークに減少傾向にあるのだ。この研究報告もＴＢＳ報道への反証の一つと言ってもよいだろう。

農薬の生態リスクが減っているということは、農薬による水生生物への影響が減っているわけだから、とてもうれしいニュースである。であれば、メディアはこぞって「農薬から見た日本の環境はよくなっています。皆さん喜んでください」と大々的に報じてもよさそうだが、一部業界紙が報じただけで、一般紙は全くニュースにしなかった。取材の申し込み先まで記して、リリースしたのだが、記者たちは関心を示さなかった。安全な話は報道せず、危ない話ばかりを報じる好例である。一読者としては、安全な話も記事として届けてほしいのだが、記者たちは関心を示さない。これがメディアの実態だ。記者たちに見られる「危ない話選好バイアス」である。

画期的な農薬の生態リスクの「見える化」

重要な研究なので、どんな研究内容だったかをざっと紹介したい。

農研機構・農業環境研究部門の研究グループは水稲で使用される67種類の農薬（殺虫剤と除草剤）が水生生物にどんな影響を及ぼしているかについて、全国の河川350地点で評価し、1990年から2010年までの20年間の生態リスクを5年ごとに評価した。いわば生態リスクの「見える化」だ。

生態リスクの指標は、「種の感受性分布」という手法を活用した。水生生物の全てに対して、農薬の毒性を一つ一つ試験して行うことは不可能なため、ある程度の生物（5〜37種類）を用いた室内毒性試験から、農薬の濃度と水生生物が影響を受ける関係を曲線で表し、全国の地点ごとの農薬の濃度から「影響を受ける割合」を、四つのリスクの大きさ（リスクが高い、中くらい、低い、不検出）で表した。

具体的に言うと、１９９０年には殺虫剤の影響で水生生物（ヌマエビやミジンコなど）の半分以上が影響を受ける地点が３５０地点のうち74地点あったが、１９９５年にはゼロになり、以後ゼロの状態が続いている。同様に除草剤の影響で水生生物の半分以上が影響を受けた地点が１９９０年には８地点あったが、１９９５年には１地点に減り、２０００年以降はゼロとなった。

この生態リスクを農薬によって影響を受ける種（水生生物）の割合で見ると、１９９０年には殺虫剤で何らかの影響を受ける種（水生生物）の割合は約23・6％（中央値）だったが、２０１０年には１・８％に減少した。23・6％から１・８％に減ったということは92・４％の減少になる。同様に除草剤は53・１％の減少だった（図表７参照）。

これは別の言い方をすると、１９９０年には仮に１００種の水生生物がいたとすると、そのうち23種が殺虫剤で死ぬなどの影響を受けていたが、２０１０年には影響を受ける種が２種に減ったということだ。

20年間の累積リスクを見ると、殺虫剤による生態リスクが大きく減ったことが分かる。

この評価には6種類のネオニコチノイド系農薬が含まれているため、ネオニコチノイド系農薬の生態リスクも減少傾向にあるといえる。生態リスクが減った理由としては、低リスクの農薬の開発、生産者による水の管理の徹底などが考えられるという。

農薬の生態リスクが年月の経過や地域によってどのように変動してきたかの研究成果は世界的にも類を見ない画期的なものだと農研機構の研究グループはリリースで記した。

だが先述の通り、こんな重要な研究成果が記者クラブに配信されながら、業界紙を除き、どの主要新聞、テレビも報道しなかった。どうやら記者たちはうれしい話題、環境がよくなっているという安全な話には関心が低いようだ。私たち読者に届く記事の多くが「不安で危ない話」ばかりというのは、こういう例を見ても分かる。

ネオニコチノイド系農薬は母親のADIを超えず

ネオニコチノイド系農薬と発達障害の関連については、こんな最新研究もある。国立環境研究所エコチル調査コアセンターの西浜柚季子特別研究員（筑波大学助教）らは、2023年11月、母親の妊娠中の殺虫剤（ネオニコチノイド系農薬など9種類）の尿中濃度と4歳までの子供の発達指標（保護者が記載した質問票）との間には統計学的な関連は見られなかったとする解析結果を公表した。これは、８５３８組の母子を対象としたエコチル調査（子供の健康と環境に関する全国調査）の結果だ。研究論文は環境保健分野の学術誌『Environment International』に掲載された。尿中濃度から推定される母親たちの1日あたりの殺虫剤摂取量は、健康影響の指標となる1日摂取許容量（ＡＤＩ）を下回っていたとの結果も記されている。つまり、ＡＤＩを超えるような母親は誰もいなかったのだ。この結果は環境省などを受け持つ記者クラブに配信された（国立環境研究所のサイト参照）が、筆者の知る限り、全く記事になっていない。こういう安心につながる研究結果はメディアに無視される。ＴＢＳテレビの例のような偏ったニュースだけを流布する構図がこれでよく分かるだろう。

認知科学者のスティーブン・ピンカー氏（ハーバード大学教授）は著書『21世紀の啓蒙』（草思社）で地球的な規模で人類の状況を見ると、安全性や健康、平和は増しており、食料事情や環境もよくなっていると説得的に論じている。しかし、人々の不安感、危機感は増す一方だ。なぜ、現実と人々の心にこんなギャップが生じるのか。その背景には、メディアが伝えるのはいつも深刻な状況や犯罪、環境汚染、飢餓、貧困ばかりだという構図がある。ピンカー氏は「ニュースは性質上、人々の世界観をゆがめる恐れがある。ニュースを見れば見るほど、正しい情報が得られるどころか、誤った方向に誘導されかねない」と同書で述べている。

ちなみに、農林水産省は「みどりの食料システム戦略」（2021年に公表）で有機農業の面積を増やし、化学農薬の使用量（リスク換算）を2050年までに50％減らすという目標をたてている。先述の農研機構の67農薬の生態リスク評価を見ると、リスク換算で50％低減なら、すでに目標が半ば達成されたかのようにも見える。まずは、農薬の生態リスクが減っていることをしっかりと頭に入れておきたい。

「発達障害増加の原因は農薬」という怪しい情報

SNSなどを見ていると、「自閉症などの発達障害が増加しているのは農薬のせいだ」といった怪しげな情報が横行している。TBSの「報道特集」のような番組内容はそういうジャンク情報に勢いをつける役割を果たす。しかし、農薬と発達障害が関係しているというなら、病院などで発達障害の治療や診断に携わっている医師がもっとテレビや新聞に登場してもよさそうだが、そういう例はあまりない。

不思議なことに、発達障害の原因をめぐっては、驚くほど虚実入り混じった言説が飛び交っている。ワクチンに含まれる水銀化合物が自閉症の原因だとする説が一時はやったことがある（いまも信じている人はいるだろうが）。しかし、水銀化合物がワクチンからなくなったあとも、自閉症が減ったという事実はない。ただし、いまでも食品などから摂取する水銀を疑う医師がいて、体内の水銀を中和排出するキレート剤を処方する医師もいる。これほどに自閉症の原因をめぐる見方は複雑だ。

筆者（小島）は東京本社で毎日新聞の記者（1986年～2018年の約30年間）をしていたが、長きにわたり発達障害などの医療問題も担当していた。自閉症の治療などに携わる医師もよく取材した。しかしながら、実際に医療現場で発達障害の子どもたちを診ている医師たちの中に「農薬が原因だ」と唱える声はほぼなかった。逆に、そもそも自閉症などの発達障害が急増しているかどうかについても疑問視する声もあった。

急増の理由としてよく挙げられる調査結果がある。文部科学省が公表している「通級による指導実施状況調査」（図表8参照）だ。それによると、自閉症、注意欠陥多動性障害、学習障害の三つの障害をかかえる小中高生は、2006年の時点では約7000人だったが、2020年には9万人を超えた。この数字をもって、急増しているという声も聞くが、この数字は学校の先生が児童生徒の行動や症状を見てアンケートに答えているに過ぎず、医学的な診断結果ではない。

この数字を疑問視する最新の本を紹介しよう。

臨床経験35年の第一線で活躍する成田奈緒子医師（立教大学教育学部特別支援教育専修教

図表８／通級による指導を受けている児童生徒数の推移（各年度５月１日時点）

注）平成30年度から国立・私立を含めて調査。高校での通級指導は平成30年度からのため、高校は平成30年度から計上

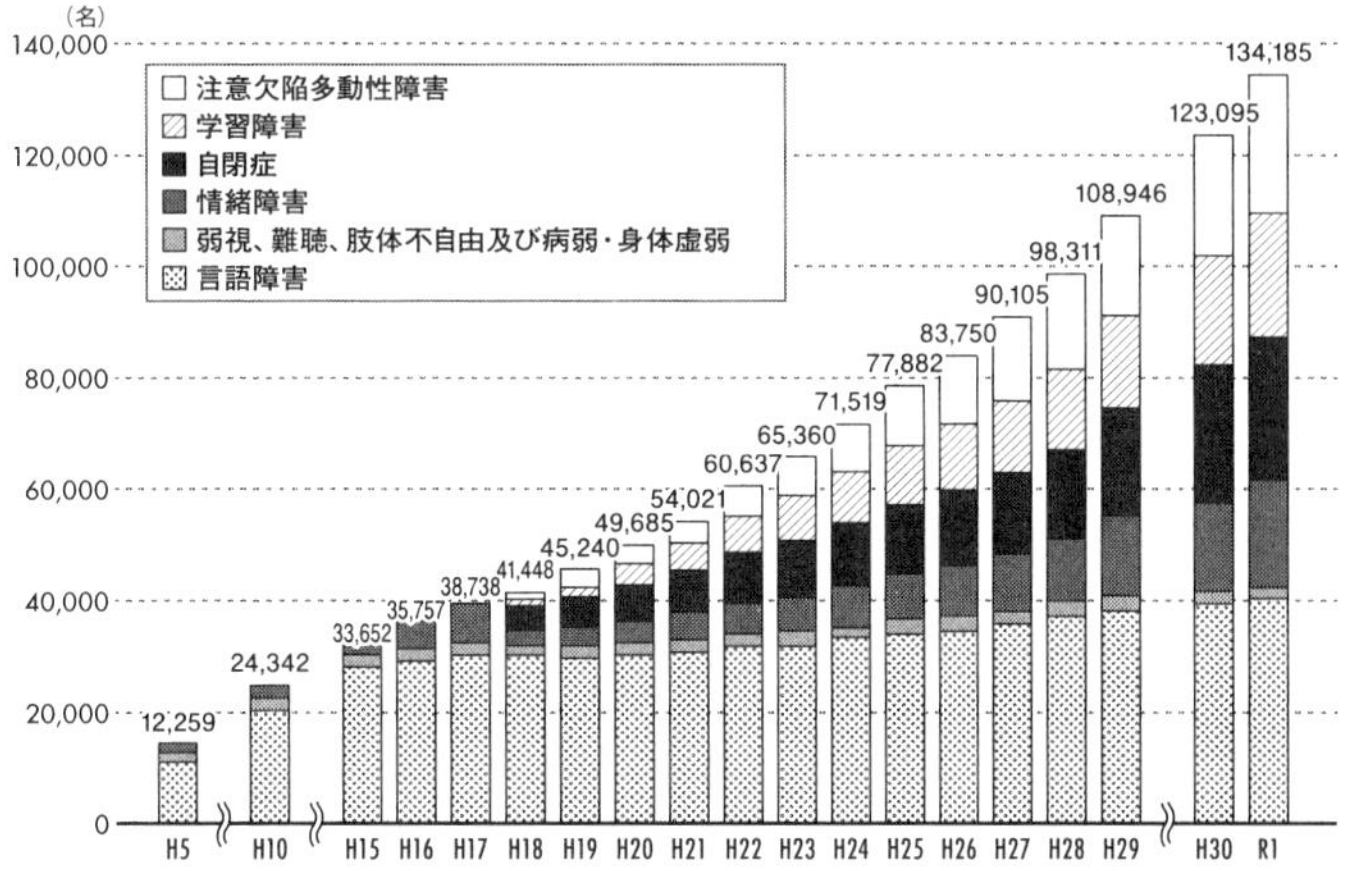

出所／文部科学省のサイトより筆者（小島）作成

授）は２０２３年３月、『「発達障害」と間違われる子どもたち』（青春新書）を著した。本の帯には「13年で約10倍に急増！増えたのは本当に『発達障害』なのか」の文字が大きく記されている。約７０００人だった発達障害児が２０２０年に９万人を超えたといっても、学校の先生が子どもたちの行動を見て報告しているだけで、医学的な診断とは異なると成田医師も述べている。

成田医師は本の中で「海外の論文や研究では、日本の文科省の調査結果のように発達障害をひとくくりにしてデータを集めている例はあまりない。海外ではＡＳＤ（自閉症スペクトラム障害）とＡＤＨＤ（注意欠陥多動性障害）の有病率は分けて統計されることが多い。全米の子どものうち、ＡＳＤの割合は約２％（44人に１人）といわれ、10年前（88人

に1人）に比べるとアメリカでは約2倍程度の増加です」と書いている。

また、成田医師は生活のリズム（早寝早起きなど）を変えることによって、多くの子どもたちの発達障害が改善されていく様子を紹介している。「学校や園で悩みを抱えるお子さんの多くは、発達障害ではなく、発達障害もどきかもしれないというのが、今の私がたどりついた結論です」と述べている。この本を読んでも、「農薬を避けなさい」とか「有機食品を食べなさい」とかいった提言は述べられていない。

発達障害の増加には誤診もあり

発達障害研究の第一人者である榊原洋一氏（小児科医師、お茶の水女子大学子ども発達教育研究センター教授など歴任）が著した『子どもの発達障害　誤診の危機』（２０２０年、ポプラ新書）も紹介しよう。

そのタイトルから分かるように、発達障害の多くが誤診されているという内容の本だ。発達障害の診断は、血液検査で分かる糖尿病などと違って、診断名ではない。医師の医療方針によって、見解が異なることがあると榊原氏は述べる。重度自閉症と診断された子どもを診たら、全く違っていたという体験を明かす榊原氏は「発達障害とは言い切れない過剰診断が多く見られる」と書いている。

発達障害は、「注意欠陥多動性障害（ＡＤＨＤ）」「自閉症スペクトラム障害（ＡＳＤ）」「学習障害（ＬＤ）」の三つの総称である。一般にメディアでは自閉症と簡単に書いているが、今では正式名称は自閉症スペクトラム障害という。

榊原氏は「殺虫剤や母親が服用する薬が近年の増加の原因とする研究者もいるが、その多くの研究者は基礎研究者であり、実際に自閉症の子どもの診察を行っていない。以前は自閉症と診断しなかった子どもに対し、現在は診断を下すという診断基準の変化による自分の診断行為の変化を自覚している。この感覚は基礎研究者には分からないと思う」と本で述べる。そして、「近年の自閉症の急激な増加は、胎内環境の変化ではなく、診断基準や自閉症のスクリーニング体制の変化によるところが大きい」と結論を述べている。

またハーバード大学准教授で小児精神科医師・脳科学者の内田舞氏（米国在住）が著した『ソーシャルジャスティス　小児精神科医、社会を診る』（文春新書）には、自閉症に関して、次のような記述があった。

「自閉症スペクトラム障害に関しては、ほぼ１００％生物学的な要因であって、環境は関係ないことが研究結果で証明されています」

生物学的要因とは、遺伝子が関わる遺伝要因のことだ。日本では13年間で自閉症が約10倍も増えたと騒ぐ人たちがいるが、遺伝要因がたかが13年間で変わるはずはない。内田氏は新型コロナワクチン接種に関するSNSの誤情報に対して、科学的エビデンスを基に正論を流していた医師（日本の医学部卒業者として史上最年少の米国臨床医となった）だ。米国の小児科精神医療の最前線を知る医師の言葉として、かなり重みのある見方ととらえたい。

臨床現場に携わるこうした医師たちの貴重な証言は、農薬とからめて「日本だけで発達障害が10倍も増えた」といった根拠のないフェイクもどきの情報が独り歩きしているメディア空間への警鐘のように思える。「日本で急増している」という根拠のない数字を見て、メディアは、やれ遺伝子組み換え作物が原因だ、やれ農薬が原因だ、やれ食品添加物が原因だと騒いでいるに過ぎない。

筆者の長い取材経験から、発達障害が増えた「犯人」の顔ぶれは、時代によって注目される要因がファッションのごとく変わる。それらは、ダイオキシンであったり、食品添加物であったり、農薬だったり、ワクチン接種だったり、電磁波だったり、遺伝子組み換え作物だったりする。こうした悪役は敵視される常連である。発達障害は一般的には生まれつきの疾患と考えられている。人の遺伝子が20年や30年で変化するわけではない。何が本当に原因かがよく分からないだけに、未知性が高く、驚きの度合いも増して、発達障害へのリスク認知が高くなるのだろう。だから余計に犯人捜しが活発になり、様々な原因説が飛び交う。

記者たちが何気なく記事で書く文章にも、危ない話が増幅されていく伝言ゲームの影響が反映されている。朝日新聞の経済面のコラム記事（2021年4月20日付）に「日本は単位あたりの農薬使用量が世界トップクラスの農薬大国である。子どもの発達障害の原因が農薬にある疑いも指摘されている」（※筆者＝市民団体の言い分をそのまま載せた安易な内容）という一文があった。このコラムは元農水大臣が大手鶏卵業業者から賄賂を受け取った事件に触れて書いた記事だ。その中になぜか農薬と発達障害の話が出てくる。このコラムを読むと、記者がいかに軽いノリで農薬と発達障害の関係を書いているかが分かる。

関係団体による科学的な反論

TBSの「報道特集」の的確性をどう判断するかをめぐって、いろいろな反証事例を挙げてきたが、報道の内容を検証することがいかに大きな労力を伴うかがお分かりだろう。「このニュースは正確、不正確」と簡単に割り切って判断するだけでは、ニュースの裏側や別の視点から見たニュースの真相が見えにくい。だからこそ、ここで挙げたような重厚なファクトチェックがいまこそ求められていると言える。

実は、ファクトチェックでもう一つ重要なことがある。政府や自治体がもっとファクトチェック活動に参戦する必要があるということだ。

ＴＢＳが報じたネオニコチノイド系農薬と子どもの脳の影響については、以前に週刊新潮（２０２０年4月9日号）も報じていて、農薬メーカーで組織した農薬工業会はホームページで反論を公開していた。今回のＴＢＳの報道に対しても、農薬工業会は２０２１年11月12日付で反論を載せた。

国の安全性審査で承認された農薬に対して「その農薬はウナギやワカサギを減らし、子どもの脳に影響する」と言われれば、その農薬を製造・販売する関係団体が反論を試みるのは当然のことである。自分たちの商品（製品）に対して、いわれなき中傷を浴びせられたら、誰だって黙っていない。

ＴＢＳの番組では、星信彦氏（神戸大学）の実験が紹介された、従来の概念では毒性のなかった量（無毒性量）よりも低い用量のクロチアニジン（ネオニコチノイド系殺虫剤）をマウスに与えたら、マウスが悲鳴を上げ、不安な行動を示したという内容だった。マウスの異常行動は箱の中の行動の観察（オープンフィールド観察）や高架式十字迷路実験で示されていた。テレビではマウスがキューキューと鳴き声を上げ、いかにも異常な様子を見せていた。

これに対し、農薬工業会は一般財団法人 残留農薬研究所の原田孝則理事長の見解などを紹介しながら「ネズミの行動異常や脳の発達への影響については、米国やＯＥＣＤ（経済協力開発機構）、農水省のガイドラインに従って、ラットを用いた様々な試験が行われている。その結果、行動異常を起こさないことが確かめられ、農薬の使用許可がおりている。マウスは性周期の不安定さなどから、発達神経毒性試験には不向きなので、この種の試験では通常、ラットを使っている。ラットの試験では行動異常や発達神経への影響は見られていない」と科学的な事実を挙げて反論した。

国によるファクトチェックの必要性と難しさ

こうした農薬工業会と一部学者のやりとりを見て、日刊ゲンダイ（デジタル）などは「農薬推進派と研究者の間で〝場外乱闘〟が起きている」（2021年12月2日付）と報じた。しかし、この見方は全く的外れである。農薬メーカーは国の法律（農薬取締法）に従って、様々な厳格な試験を行い、その結果、農薬が認可されたわけだ。農薬メーカーが批判されるいわれは全くない。確かに表面的には農薬業界と一部研究者が対立しているようにみえるが、実は、対立しているのは農薬を許可した国と一部学者である。

一部学者たちは「これまで無毒性量といわれた用量でも、マウスの実験で行動異常を示した」「動物実験で得られた無毒性量から、摂取しても安全な1日摂取許容量（ＡＤＩ）が定められているが、ＡＤＩ自体を見直すべきだ」「食品安全委員会がリスク評価で採用した文献の中の試験結果のほとんどが非公開になっているのは問題だ」などと主張している。

批判されているのは農薬を認可した国の規制のあり方である。となれば、この議論は国と一部研究者の論争と受け止めるべきだろう。換言すれば、ＴＢＳや週刊新潮は「国の農薬規制のあり方がこれでよいのか」と問うているわけだ。そうであれば、ＴＢＳの番組に対して、真っ先に反論すべきは、農薬の許認可やリスク評価に携わった農水省や厚生労働省、内閣府食品安全委員会のはずだ。

しかし、国からの反論はなかった。なぜ、こういうケースで国は沈黙しているのだろうか。農薬の危険性を重視する学者たちは、ネオニコチノイド系農薬の脳への影響をなんとかして世に出そうと様々な動物実験を試みる。当然ながら、あらかじめ脳への影響が出そうな研究デザインを組むため、学会などで公開（発表）される動物実験の結果は「影響あり」が圧倒的に多い。「影響なし」の研究報告は注目されないし、学者の業績にもならない。フランスのセラリーニ氏が発表した遺伝子組み換え作物とがんの実験結果はこの最たる例である（第3章で詳述）。

これは第2章でも触れた学術界の「出版バイアス」にも通じる。危ない結果が分かると発表されるが、安全だったという結果はなかなか発表されにくいというバイアスである。この出版バイアスの弊害は、公開された研究論文を基に評価しているＩＡＲＣ（国際がん研究機関）のおかしな判定（第2章で述べたアスパルテームのような判定を指す）にはっきりと表れていると筆者（小島）は考える。

「危ない」という内容の動物実験結果を発表する学者は、いわば国に挑戦状をたたきつけていることになる。そうであるだけに、非公開ながら厳密な研究データを知る立場にある国はもっと積極的にＴＢＳのような報道にカウンター情報（反証）を出してほしいと思うのだが、なかなか難しいようだ。

国は普段、市民やメディアとのリスクコミュニケーションが大事だと言っている。食品などに残留する農薬や食品添加物のリスクを科学的に判断する眼力が必要だとの理由から、リスクコミュニケーションを続けている。そうならば、こういうときにこそ、大いに論争を買って出て、反論すべきだろう。これが真の実践的なリスクコミュニケーションであり、ファクトチェック（報道の的確性の度合いをチェックする活動）である。

残念ながら、農薬工業会がいくら科学的な正論を吐いても、「農薬を売りたいためだろう」と言われてしまう。せっかく国に代わって反論しているのに、肝心の国がだんまりでは援護なしと同じだ。こういうケースではお互い（農薬業界と週刊誌のやりとり）が感情的に批判し合っても、建設的な議論は見込めない。国がもっと表舞台に出て、科学的な論争を通じて、国民に的確な情報を流すべきだろう。そのやりとりを見て、国民が是非を判断すればよい。

東都生協からの有益な情報提供

こうした農薬の話題に対して、産直を基軸とした事業と運動を展開している「東都生活協同組合」（本部・東京都世田谷区・組合員約26万人）は２０２２年3月、科学的な事実が大事だとして、以下のような解説を組合員に示していた。通常のメディアでは得られない貴重な情報である。

――ネオニコチノイド農薬に関しては、様々な懸念や危害情報などが氾濫していますが、科学的に裏付けられた報告はありません。日本生活協同組合連合会（日生協）も学術論文や世界の情報を集め、２０１４年にネオニコチノイド農薬に関する評価をしています。結論としましては、種子粉衣（筆者注：種子に農薬を付着させる方法）し、機械で大量に撒くことで大気汚染を発生させている欧州と異なり、日本の散布方法、使用基準では問題はないとしています。また、ネオニコチノイドを排除することで、古い有機リン系農薬やカーバメート系農薬に戻ることはかえって環境や人畜へのリスクが高くなるとしています。

ネオニコチノイドの「イミダクロプリド」は今でも世界で一番売れている有効成分で、農薬以外にも動物用医薬やペットノミ取り用品などにも使用されています。世界の流れは、マスコミなどで言われているのと反対で、実はこれまでと変わっていません。科学的評価を行うＥＦＳＡ（欧州食品安全機関）は使用禁止に慎重な姿勢を取りましたが、ＥＣ（欧州委員会）が政治的に使用禁止の判断をしました。その結果、最初に東欧のビートや菜種の生産者が大幅減収で厳しい生活を強いられたほか、いくつかの国で緊急使用を認める判断をしています（たしか19か国で使用可能）。反ネオニコチノイドの急先鋒であったフランス政府でさえも２０２０年から3年間、ビートへの緊急使用を認め、さらに２０２３年に延長をしています。

ネオニコチノイド系農薬7剤のうち6剤が日本の研究者が開発しました。生産者の高齢化が進む中で最初のネオニコチノイド系農薬であるイミダクロプリドは芽だし苗に施用できる農薬として開発され、１９９２年に発売されました。それまでは初夏から盛夏にかけて4～5回、田んぼに入って、動力噴霧器を背負ったり、長いホースで農薬を散布したりしていました。重労働ですし、農薬が環境に放出されるだけでなく、自身も曝露してしまいます。

イミダクロプリドは田植え前の育苗箱に施用することができます。粒剤のかかった苗を田植え機に載せ、田植えをすると、田んぼの土の中数センチのところに埋めてくれます。環境放出がありません。イミダクロプリドは浸透移行性によって苗に取り込まれ、残効性によって、生育期間中、害虫から稲を守ってくれます。

ネオニコチノイド系に変わる農薬がなければ、再び生産者は暑い盛りに田んぼに入り、曝露リスクを抱えながら農薬を散布することになります（筆者で要約）――

これが東都生協の解説である。やや長い引用になったが、新聞やテレビでは得られない有用な情報が分かったのではないか。この解説を読むとイミダクロプリドが生産者を重労働から解放したことが分かる。

こういう有用な情報は、国こそが率先して国民に流すべきなのに、国の腰は重い。ファクトチェックに参戦しない国の怠慢だといってもよいだろう。もちろん、ＴＢＳが再度、いろいろな周辺情報を集めて、「こういう視点の情報もありました」として続編の番組を作ってくれれば理想的だが、そういう検証番組は成立しないだろう。続編は前の番組を否定してしまうからだ。第三者が検証番組を作るのが一番良いだろうが、いまのメディアにそういう仕組みはない。

国によるファクトチェックの必要性を指摘したわけだが、実は難しさもある。ここでいう国は行政のことだが、行政は政治の指示で動く。しかし、政治家の中には反農薬や反遺伝子組み換えなど環境問題の重視を売りにする人も少なくない。政治は一枚岩ではない。そのような中で実際に行政ができることは総論的な説明に限られてしまう。例えば、食品安全委員会や農林水産省のホームページにはネオニコチノイド系農薬に関する詳しい科学的な情報が掲載されている。それを読んでもらうことで確かな情報を届ける。それが行政の役割だという考え方である。もちろん概説でも意義は高いが、個別ニュースを想定したファクトチェックに比べると迫力に欠ける。

一方、もし行政が個別のニュースについてファクトチェックを行えば、環境団体やその関連の政治家から激しい反論や追及、バッシングを覚悟せねばならない。クビになるのを覚悟してまでファクトチェックに力を入れる行政官が出てくるとは考えにくい。勇気ある行政官をメディアや科学者が支援すれば状況は変わるかもしれないが、残念ながら、メディアは行政によるファクトチェックを「言論弾圧」とか「権力による検閲だ」ととらえ、行政を支持することはまずないだろう。

結局のところ、政治が変わらなければ何も変わらないということになるが、その政治家を選出する国民の意識が変わらなければ何も変わらないということにもなる。ただ農林水産省は農水関連の新聞記事をチェックして、どこがどう誤っているかを内輪では確認し合っている（残念ながら非公開）。ならば消費者庁や食品安全委員会が外部の専門家に委託する形でファクトチェックを行うことはできるはずだ。行政とメディアがニュースの正確さや科学的信憑性をめぐって、公開の場でやりとりするファクトチェックなら国民から大歓迎されるのではないだろうか。

メディア媒体の性格を知るのもリテラシー

これまでＴＢＳの一番組をめぐって、様々な見方（カウンター情報）を紹介してきたが、これでＴＢＳの番組がいかに一部の学者だけの意見を重視して製作されたものかが分かったのではないか。こうした作業こそがファクトチェックである。

ＴＢＳの報道で分かるように、新聞や週刊誌などは一般に「〇〇が危ない」と言って警告を発するニュースを好む。世の中に警鐘を鳴らすのが記者の使命であり、正義感だからである。メディアが警告することに対して、国民は寛容である。逆に政府の政策を応援するようなメディアには冷たい視線を送る。

「警鐘を鳴らす」のと「安全です」というメッセージを送るのとでは、情報を送る側の責任の度合いに大きな違いがある。メディアが国民に向けて「危ないです」と警告を発信するのはたやすい。あとで間違いだと分かっても、責められることはないからだ。

しかし、「安全です」と報道したあとに、危険性が分かった場合には世論から袋叩きにあう。メディアとしては、科学的に安全だと主張するよりも、危ないと警告するほうがはるかに楽なのである。これは筆者（小島）の印象だが、ＴＢＳの「報道特集」は警鐘を鳴らす番組が多い。そのほうが権力に批判的でカッコよく見える。だが、そういう警告重視の正義感を押し出した報道スタンスが、残留農薬や放射線などの科学的なテーマの分野になると、危ないと主張する一部の学者に偏ったニュースになりやすいことを覚えておきたい。ただ言論の自由は守られるべきで、TBSの「報道特集」のような番組があってもよいだろう。大事なのは、こうした特定のメディアの性格や報道スタンスを視聴者が知ることだ。これもメディア・リテラシー（情報を読み解く力）の一つである。

偏った情報による取り返しのつかない損失

最後にメディアとは何か、で締めくくろう。

そもそも記者の仕事は何だろうか。市民が知りたいと思っている情報をできるだけ幅広く集め、多様な視点で情報を提供することだろう。ただ、現実にはこれを実践するのはなかなか難しい。そもそも記者自身とそのニュースを送る媒体（新聞社やテレビ局など）が左派にせよ右派にせよ、なんらかのイデオロギーや政治的価値観をもった人間や媒体だからだ。

これまでのTBSの「報道特集」を見ていると、そのテーマが政治にせよ、新型コロナウイルスや残留農薬のような科学的なテーマにせよ、常に政府への批判が目立っていた。安倍政権の時は特にそれが顕著だった。記者たちが安倍氏の国家観やジェンダー観をきらっているのは明らかだった。朝日新聞は安倍氏が暗殺されたあとに、事件や国葬を揶揄する投書を載せ、批判を受けた。

オールド左翼の人たちはよく「政府の言うことを鵜呑みにするな。政府は嘘をつくものと疑ってかかれ」と主張する。確かにその通りなのだが、農薬や自閉症といった科学的なテーマ（政治色の低いテーマ）の場合には、ちょっと様相が異なる。科学の論争が舞台であれば、一部の学者に偏るのはバランスのとれた情報提供とは言いがたい。

偏ったニュースが国民にもたらした損失の最たる例が、2013年〜2016年あたりまで続いたHPV（ヒトパピローマウイルス）ワクチン接種に関する報道だった。詳しくは第6章を読んでほしいが、マスコミの偏った報道のせいで、日本だけがHPVワクチン接種で世界から取り残されてしまったのである。

少数の学者が危ないと警告したのだから、それを取り上げるのはマスコミの使命である。そういう面は確かにある。しかし、やはり大事なのはメディアリテラシーである。HPVワクチン報道から学ぶべき教訓は、記者たちの「危ない情報を好む」「特定の正義感に満ちた少数の学者に共感する」「市民団体の声に共鳴する」といった行動習性が時として大きな国民的損失を作り出すこともあるという事実を知ることである。

第6章

記者のバイアスがニュースのバイアスを作る

——BSE、中国産食品、新型コロナ、

BSE全頭検査は過剰な「安心」対策

英国BSE問題への対応

遺伝子組み換え（GM）、残留農薬、添加物など、食品安全に対する消費者の誤解は大きい。そんな話をよく聞くが、なぜ誤解が大きいのかという理由についてはあまり聞かない。私たちは誰でも様々な問題について安全と危険を判断する。判断のために必要なものは知識と経験だが、それらがあっても、情報がなければ判断はできない。例えば新型コロナウイルスのmRNAワクチンが安全なのかは、情報がなければ全く判断できない。そして情報を伝えるのは主に新聞とテレビである。もちろんネット情報もあるが、その情報源はやはり新聞とテレビだ。重要な点は、それらの情報にはメディアの判断が含まれていることである。そして私たちの判断がメディアの判断に大きく影響されることはよく知られている。つまり、食品安全に対する誤解が大きいということは、そもそもメディア情報に誤解を招く不適切な点があったということになる。

そのような例として、牛海綿状脳症（BSE）の全頭検査問題、中国産冷凍餃子問題、子宮頸がんワクチン問題について取り上げる。

多くの国民が「全頭検査こそが最重要のBSE対策」と信じ、「全頭検査をしていない米国産牛肉は危険」と信じた。しかし検査はBSEの半分以上を見逃すため、安全対策にはならないことを知る国民はいまだにほとんどいない。

BSEの原因はプリオンと呼ばれる異常なタンパク質が牛の飼料に混入し、これを別の牛が食べると小腸から体内に侵入して、神経を通って脊髄から脳へとゆっくり進む。そして約5年をかけて脳内に多量のプリオンが蓄積して脳を壊し、牛はBSEを発病して死亡する。症状が現れるまでの5年間の潜伏期は牛が感染しているか全く分からない。

病原体が蓄積する脳などは肉骨粉に加工して家畜の飼料などにする。1970年代の英国でこの汚染肉骨粉を食べた牛がBSEに感染した。こうして感染牛は雪だるま式に増えた。しかし感染から5年たたないと牛に異常は出ない。ところがほとんどの牛は3歳までに食用になる。このような仕組みのため、感染が広がっていることに誰も気が付かなかった。

あるとき病気で死亡した高齢の牛の脳に無数の小さな穴が見つかり、英国政府は1986年末になってこれを牛海綿状脳症（BSE）と名付けた。その後、感染牛の発見はうなぎのぼりに増加し、国内は大混乱に陥った。

英国政府は1988年に肉骨粉が感染の原因ではないかと疑って、これを全面禁止した。この対策によりBSE感染は激減したのだが、その効果が目に見えるようになるのは5年後である。現在発見される発病牛は5年前に感染したので、対策後も発病牛の数は毎月倍々と増えて、1992年には年間3万6000頭にもなった。この間英国政府は「対策が不十分」という非難を耐え忍んだ。そして5年を経た1993年から発病牛の数は減少に転じて、対策の正しさがやっと証明された。こうして「肉骨粉禁止」によりBSEは家畜の世界では沈静化した。ただし、昔からある非定型BSEと呼ばれる自然発症型のBSEは時折報道されている。


老人は100万人に1人の割合でクロイツフェルト・ヤコブ病、略してヤコブ病にかかる。病人の脳には海綿状に無数の穴が開き、脳が破壊されて死ぬ。1995年に英国の若者がヤコブ病とよく似た病気になった。英国政府は1996年にBSEが人間に感染してこの病気を引き起こした可能性を認め、新型ヤコブ病と命名された。

それまでの間、英国政府は「BSEは人間には感染しない」と説明し、だから人々は安心して牛肉を食べ続けていた。この政府発表により国民の間に一気に恐怖が広がり、政府は厳しく批判された。新型ヤコブ病患者はその後増え続けて、2000年には年間28人に達したが、2001年以後は減少に転じて、現在はゼロである。

新型ヤコブ病の原因はBSEと同じで、プリオンを食べたためである。プリオンは脳と神経に蓄積するが、牛肉（筋肉）には蓄積しないので、何かの機会に脳や神経を食べたことで感染したと考えられる。

英国政府は1989年に脳や脊髄などの「特定危険部位」を食用にすることを禁止し、新型ヤコブ病の発生はなくなった。にもかかわらず対策の効果が出たのが2001年だった。これは新型ヤコブ病の12年という潜伏期のためである。

科学的な説明に努めなかった日本

BSEの検査は牛の脳に病原体が溜まっているのかを確かめる方法だ。そして検査により感染が発見された牛の99％以上が生後30カ月以上だった。これは高齢になってからBSEに感染するためではない。生後1年以内に感染するのだが、最初は脳内のプリオンの量が少なく、長い年月をかけて次第に蓄積して、4、5歳になってやっと検査で発見できる量になるためである。そこでEUでは30カ月以上の牛だけを検査することにした。

２００1年9月、日本初のＢＳＥが発見され、肉骨粉の利用と特定危険部位の食用を禁止した。また安心対策としてＥＵと同じ30カ月以上の牛の検査を計画した。

すると、「検査をするなら若牛も含めて全ての牛を検査すべき」という意見が出て、厚生労働省は「消費者の不安を解消するため」として、若牛を含む全頭検査に踏み切った。

その後、政治家、消費者、そしてメディア関係者までが「安心対策」と「安全対策」を混同して、全頭検査こそが最善の安全対策という「全頭検査神話」ができた。

ところが、ほとんど全ての牛が3歳（36カ月）以下で食用になるので、それらの牛がＢＳＥに感染していても検査では「シロ」になる。１００頭程度の感染牛が食用になったと予想されるが、特定危険部位を除去したので感染の可能性はない。実際に日本人１人が新型ヤコブ病に感染したが、これは英国で感染したものと考えられている。

その後、全頭検査が大きな国際問題を起こした。２００3年5月にカナダ、12月には米国でＢＳＥ感染牛が発見され、日本は直ちに輸入禁止措置を取った。そして輸入再開の条件として、全頭検査を義務付けた。しかし米国側はこれを非科学的として拒否した。日本では「最重要の安全対策である全頭検査を拒否するとは何事だ」という怒りの声が広がった。そして日米の専門家会議において日本側は全頭検査を行っても若い牛のＢＳＥ感染が検出できないという科学的な事実を認めざるを得なかった。日本政府は検査月齢を20カ月以上に変更することを食品安全委員会に諮問し、その結論を得て検査月齢が変更され、20カ月齢以下の米国産牛肉は検査なしで輸入が認められた。

ところが、メディアも国民も、輸入再開は米国の圧力によるものであり、国民の健康を無視した決定として反発した。食品安全委員会の専門委員の意見も二分し、輸入を認めた委員には「御用学者」「米国の手先」などのレッテル貼りが行われた。筆者（唐木）も米国産牛肉は安全と主張したため、国会において野党議員から食品安全員会専門委員の罷免要求が出された。

パニックを抑えるために安心対策は必要である。欧米では政府が丁寧な説明を行うことでパニックを収めた。他方、日本では説明を行うという手間のかかる方法を回避して、「検査をしたから安全」というフェイクを広めることでパニックを収めた。

このように全頭検査は世界中で日本だけが実施した「安心対策」だったのだが、政府はこの事実を国民に十分に説明しなかった。そして日本中が「全頭検査こそが最重要の安全対策」と誤解してしまった。そのような「情報隠し」の政府の体質とこれに迎合するメディアの発信は究極のフェイクニュースと言えるのではないだろうか。そしてその体質は改善されているのだろうか。

メディアの科学報道の敗北

全頭検査が原則廃止されたのは、初めて感染牛が発見されてから16年たった2017年のことだ。もはや新聞記者や世間の関心は薄く、新聞の記事は極めて地味な扱いだった。このため、ほとんどの人は全頭検査がいつ終わったかを知らないままだろう。無駄な検査が延々と16年間も続いたのは、まさにメディアの科学報道が敗北した象徴ではないだろうか。

BSE問題に関しては、筆者（小島）は毎日新聞の記者として取材の最前線にいた。「全頭検査をやっても感染牛は出荷されている。検査よりも危険部位を確実に除去することのほうがリスク対策として重要だ」と何度となく記事を書き続けた。筆者の記事に対して、農林水産省の官僚から「よくぞ真相を書いてくれた。全頭検査を決めた国の立場としては、全頭検査をしても、感染牛を見逃すケースがあるとはいまさら言えないからね」との激励をもらったこともある。多くの専門家は全頭検査の限界を知っていたのだ。ところが、なぜかずるずると世論に押され、16年間もリスクコミュニケーションが空回りしていたのである。

毎日新聞社内でも、全頭検査に関する理解はちぐはぐだった。「全頭検査をすれば、感染牛を全て発見できる」という科学部の記者がいたり、専門的知識が豊富なはずの論説委員が社説で「全頭検査は必要」と強調するなど、記者の間でも理解の程度に落差があった。当時、

「全頭検査をやっても感染牛の一部しか発見できない」と書いていた記者は主要新聞社の中でもほとんどいなかったように記憶している。

国が全頭検査を緩めようとすると「米国の圧力に屈した」とか「国民の不安に応えていない」とか、科学とはかけ離れた記事ばかりが横行した。ことの本質を全く伝えないメディア、これを敗北と呼ばずに何と言おう。

おそらく、多くの人はBSE問題を振り返り、あの騒ぎはいったい何だったのかと思うに違いない。BSE問題をきっかけに2003年に内閣府食品安全委員会が誕生したわけだが、その食品安全委員会は2004年、このまま対策なしでも日本人がBSEに感染するリスク（確率）は約1億2000万人のうち、0・1～1人だとの試算結果を公表した。すでに感染原因の肉骨粉の流通を禁止し、危険部位を除去しているので、実際の感染リスクはさらに低くなり、天文学的に小さくなる。つまり、日本人が感染するリスクはほぼゼロだったのだ。結果的にも英国生活で感染した日本人1人を除き、感染者はゼロだった。なのに、あの空騒ぎをメディアは止められなかった。

自殺した女性獣医師

しかし、食べる側の感染者はゼロでも、死者がゼロだったわけではない。皆さんは2002年5月に北海道釧路保健所に勤務していた若き女性の獣医師（当時29歳）が自殺したのを覚えているだろうか。当時、全国では全頭検査が始まり、どこの自治体もできる限り感染牛を出さないことに腐心していた。感染が疑われる症状をもった牛を早く見つけ出し、食肉処理場に出さないように頑張っていたのだ。

そうした中、5月10日、釧路管内で4頭目の感染牛（6歳の乳牛）が見つかった。その牛を事前に診たのがくだんの女性獣医師だった。牛の前脚に神経マヒがあったため、BSEとは判断しなかったものの、病畜として検査に回した。極めて的確な判断だったのだが、「見逃したのは獣医師として許されない行為」といったメモを残して、5月12日に自殺した（朝日新聞2002年5月14日付記事参照）。彼女は鹿児島県生まれ。北海道に憧れて、はるばる鹿児島からやってきて、獣医師として働いていた。

そもそも一獣医師が牛の外見や症状からBSEかどうかを見分けられるはずはない。感染牛の見逃しに責任を感じる必要は全くないはずだが、それでも彼女を自殺に追い込んだのは、当時の恐るべき世論や空気だった。日本人が牛肉を食べて感染するリスクは、英国の状況から推定して、ほぼゼロ（英国では約75万頭の感染牛が食用に出荷されたが、日本は10頭程度との前提で計算）だと言っていた学者もすでにいた。

こういう数字をメディアがしっかりと把握し、仮に感染牛が10頭程度見つかったところで危険部位が除去されており、消費者への感染リスクはほぼゼロだという事実を伝えていれば、女性獣医師を自殺に追い込むような空気は生まれなかったはずだ。彼女を自殺に追い込んだのは、過剰な不安を作り出した世論の重苦しい空気だったのではないだろうか。

いまでは日本人の多くは、彼女が自殺したことを覚えていないだろう。だが、筆者（小島）はBSE問題を振り返るときには必ず彼女の死を思い出す。まだ29歳だった彼女が死を思い詰めるまでにどんなに悩んだかを想像するといまも胸が張り裂ける思いだ。

BSE問題で確実に言えるのは、大騒ぎしたメディアと消費者、政治家には死者は出なかったことだ。それに対し、必死になって感染牛を食い止めようとした獣医師の側に死者が出た。さらに言えば、牛肉が売れなくなって飲食店がたくさん倒産したことで、事業者の中にも自殺者が出ていたに違いない。

子宮頸がんワクチン報道も同じ構図

ＢＳＥ問題を振り返って、もう一つ明らかなのは、メディアは客観的なリスクの大きさを伝えることに熱心ではないことだ。日本では発生当初、英国で感染した1頭の牛がよろけて倒れる映像シーンがテレビを通じて繰り返し茶の間に流された。また英国の感染患者が衰弱して死んでいく映像も流された。これらのショッキングな映像は、ゼロに近い客観的なリスクを吹き飛ばすほどの不安と恐怖を日本国民に与えた。

人の脳は、頭では「感染リスクはほぼゼロ」と分かっていても、この種の悲劇的な映像シーンやかわいそうなお涙頂戴物語に弱い。メディアの記者の脳も、理性をつかさどる左脳が特別に強いわけではなく、一般人の脳と何ら変わらない。心理学の本によく出てくるように、人の行動を動かすのは理性よりも感情である。感情的になった国民と政治家とメディアが一緒になってお祭り騒ぎを繰り返したといえよう。

この悲惨な映像を引き金とする不安増幅報道パターンは、ＢＳＥの発生から約10年たったあとに起きた「子宮頸がん予防ワクチン報道」にもあてはまった。子宮頸がんなどを予防するＨＰＶ（ヒトパピローマウイルス）ワクチンの接種後に様々な症状を訴える女子たちの悲惨な映像シーンをメディアは繰り返し流し続けた。不安と恐怖は一気に高まり、約7割あった接種率は1％以下に激減した。まさにBSEと子宮頸がん予防ワクチンの報道の構図は瓜二つである。BSEに関する過剰報道の教訓が生きていれば、HPVワクチン報道があれほど偏ったものにはならなかっただろう。そう思うと、メディア報道に関する検証作業が極めて重要だと改めて気づく。

BSE、HPVワクチンのどちらも、メディアは食い散らかして、あとは知らん顔である。どちらも的確な情報を伝えることに失敗した点でメディアの敗北といえるだろう。HPVワクチン報道の弊害については、この章の後半で詳述する。メディアは世論と一緒になって騒ぎたてるのではなく、もっと科学に基づく問題解決型の記事を目指すべきだろう。

中国産冷凍餃子事件の真相

中国産は危険という俗説

中国産食品は危険と信じている人が多い。そのような誤解が広がったきっかけが中国産冷凍餃子事件であり、危険という常識はメディアの誤解が作り上げたものだった。しかしその真相を知る人はいまだにほとんどいない。

1960年代以後、日本が経済的に豊かになると外食の機会が増えた。そして冷蔵庫と電子レンジの普及とともに、冷凍食品の輸入量は増え始め、2003年には22万t、2007年には32万tに増えたのだが、2009年にはこれが20万tまで激減した。その原因が冷凍餃子事件だった。その影響は大きく、いまだに「中国産食品は危険」と信じる人が多く、中国からの冷凍食品の輸入量は2007年のレベルを大きく下回っている。

2007年末、中国の天洋食品が製造し、日本生活協同組合連合会が販売した冷凍餃子に

図表9／輸入食品の違反（2021年度厚労省統計）

	中　国	米　国	フランス	タ　イ	イタリア
輸入件数	892,538	206,721	205,373	162,021	110,670
検査件数	83,794	15,479	10,245	10,938	8,033
違反件数	194	76	17	48	35
検査率	9.3%	7.4%	4.9%	6.7%	7.2%
違反率	0.23%	0.49%	0.16%	0.43%	0.43%

出所／厚生労働省輸入食品監視統計より筆者（唐木）作成

混入した高濃度の殺虫剤メタミドホスにより、千葉県と兵庫県で3家族10人が中毒症状を起こした。「中国産食品は危険だ、厳しく検査すべきだ」という声の中で、検査件数が大幅に増やされた。その結果、基準をわずかに超える量の違反が相次いで発見され、連日大きく報道され、恐怖感が広がり、大手小売店では中国産冷凍食品の取り扱いを中止し、その輸入量は大幅に減った。

ところが、検査の実像はメディアを通じて正しく伝えられていなかった。

日本に輸入される食品は、全国32カ所の検疫所食品監視窓口で書類審査し、その一部は横浜と神戸検疫所に設置された輸入食品検疫検査センターで検査している。その検査結果は、輸入食品監視統計として厚生労働省のホームページで公表されている。これを見る

図表10／国産食品と輸入食品の違反（2021年度東京都調査）

	国産品	輸入品
検査品目数	35,154	17,288
違反品目数	10	13
違反率（%）	0.004	0.0075

出所／2021年度東京都調査より筆者（唐木）作成

と、2021年度の中国の違反率は0・23%で、フランスに次いで低い。

それでは、中国も含めた海外からの輸入食品の安全性は国産食品に比べて低いのだろうか。東京都および特別区で実施された食品の2021年度の違反件数を見ると、共に0・1%以下すなわち1000件に1件以下の違反にすぎない。国の数字との違いは検査の方法の違いによるものである。輸入食品は最初に国が書類審査を行い、そこで疑いがあるものを検査する。他方、東京都の検査は国の検査を合格して商店に並んでいる商品を購入して検査する。だから国の検査に比べて違反率はずっと低いのだ。また、重要なことは健康に被害を出すような重大な違反がなかったということである。それは、規制値が非常に厳しく設定されているので、これをわずかに超えた程度では食中毒を起こすことはないからだ。このように「中国産食品は危険」という主張を裏付ける根拠は見つからない。

違反件数と違反率の違い

誤解の原因は違反件数と違反率の混同である。図表9にあるように、中国産食品の違反件数は194件と、他国よりずっと多い。これだけをみて「中国産食品は危険」という報道があふれた。しかし国産食品を含むどの国の食品も1000件検査すれば数件の違反が必ず見つかる。だから、中国産食品の検査率だけを例えば10倍に増やしたら、発見される違反件数も10倍に増える。冷凍餃子事件後はまさにこのような事態が起こり、中国産食品の検査率だけが通常の何倍にも増えた。その結果、見つかった軽微な違反を毎日大きく報道した。すると当然のことながら中国食品に対する不安は強まる。中国食品が危険という報道は、違反の実数だけを見て、違反率を見なかったという単純な誤りであり、メディア関係者の統計学についての基本的な知識の欠如の結果なのだ。

冷凍餃子事件は、農薬の濃度が異常に高いことから、当初から犯罪事件だろうと推測され、実際に事件から約2年後に、天洋食品の元従業員が冷凍餃子に注射器を使って農薬を混入させた容疑で逮捕され、無期懲役の刑を宣告された。冷凍餃子事件は犯罪事件であり、中国食品の安全性の問題ではなかったのだ。

中国産冷凍餃子事件は中国だから起こったと言う人がいたが、２０１３年末、アクリフーズ群馬工場で製造した冷凍食品から高濃度の農薬が検出されるという事件が発生した。冷凍食品に高濃度の農薬を注入するという中国産冷凍餃子事件と全く同じ手法の犯罪だった。犯罪はどこの国でも起こりうることが証明されたとともに、食品テロ対策の必要性をこれらの事件は示している。

検査に対する誤解

中国食品に関する誤解については、厚生労働省もホームページの「輸入食品監視業務ＦＡＱ」で解説しているが、よくある質問の中から二つを筆者が要約して紹介する。

「輸入食品の約1割しか検査が実施されていないと聞くが、なぜ１００％検査しないのか」という質問が多いが、食品の検査は「破壊検査」で、食品をすりつぶして検査するので、全部を検査したら、全てを廃棄することになる。そこで、輸入食品の安全性は三段階の手順で守られている。第一段は、輸出国における衛生対策で、中国国内での検査と、輸出時の中国政府による検査がある。第二段は食品が国内に入るときの水際（輸入時）検査で、食品に添付された書類検査により違反がないかを確認し、確認のため一部については検査を実施している。そして、第三段が、国内で流通している食品の検査で、地方自治体が店頭の食品の抜き取り検査も行っている。

「検査で見逃した違反食品に猛毒化学物質が入っていたらどうなるのか」という質問も多い。たしかに、全体の1％以下ではあるが、国産食品、輸入食品とも、見逃した違反食品が市場に出ている可能性がある。そんな見逃し食品が「猛毒」なら被害者が出るはずだが、実際に食中毒が起こった事例はない。それは、3段階の安全管理が機能し、違反食品に猛毒が入ることを防いでいるためである。これまでに見つかった多くの違反は、食品衛生法で定める厳しい基準をわずかに超えたものばかりで、それを食べても健康に影響がない量だった。

食品安全に関するフェイクニュースは多いが、それらのほとんど全てが科学や規制に対する知識の不足が原因である。科学も規制も複雑になるなかで、全ての知識を持つことは難しいが、せめてメディア関係者は正しい報道に努めてもらいたい。

新型コロナ報道に欠けていたもの

「恐怖」から国民は対策に協力する

政府の情報伝達の失敗で国民が誤った認識をもった例として、新型コロナ対策も挙げられるのではと思う。

新型コロナの流行が発生した当初は治療薬もワクチンもなく、感染防止のために国民に外出自粛、三密回避、マスク着用などの個人対策をお願いすることしかなかった。しかし「お願い」だけで協力が得られる見込みはなかった。そこで実施されたのが恐怖キャンペーンだ。連日TV、新聞で感染者数を報道し、医療の専門家を登場させて新型コロナは重症率や致死率が高いこと、受け入れ病院が医療崩壊に瀕し、感染しても入院は困難で、入院すると人工呼吸器エクモを装着して生死の境をさまよい、命が助かっても後遺症に悩むという恐ろしいイメージを作り上げた。

これまでもBSE問題、中国産冷凍餃子問題、福島第一原発問題などは連日大きく報道されたが、新型コロナ問題ほど連日、大きく、そして長期にわたって報道された出来事はこれまで経験したことはない。こうして多くの人の脳裏には新型コロナに対する強い恐怖感が植え込まれ、自分が今日明日にでも感染して死ぬという不安に駆られ、マスク着用はもちろん外出や営業の自粛は当たり前と信じた。その結果、大多数の国民が個人対策に「自主的に」協力するようになったのは、政府、専門家、メディアの見事な連携の結果だ。

しかしその悪影響がすぐに表れた。マスクと消毒剤を買いだめしたため、瞬く間に在庫切れになり、安倍元首相はマスクの全戸配布を約束することになった。さらに深刻な被害が報道された。東京都内に住む女性が、味覚などに異常を感じながら、山梨県内の実家に高速バスで帰省し、その後、検査で感染が確認された直後に、高速バスで東京に戻ったこと報道された。するとインターネット上で女性の氏名、住所、写真までが掲載され、本人や家族への誹謗中傷の書き込みが相次いだのだ。さらに、全国で感染者とその家族に対する差別が相次いだ。問題の発端は行政による感染者の発表だが、感染は個人の不注意であり、そのような「非国民」の個人情報の開示は当たり前という異常な風潮が広まっていた。

差別の対象は感染者だけではない。2020年末に日本医師会が行った調査では、感染者の対応にあたる医療従事者に対する嫌がらせや差別が、3カ月で約700件に上っていた。例えば医療従事者というだけで「近寄らないで」と言われた、保育園に子どもを預けるのを拒まれた、美容院の予約を断られた、同僚職員が感染したことを知った近所の住民から嫌がらせを受けたなどだ。その結果、看護師の退職も続発した。新型コロナ発生から最初の3カ月間感染者が発見されなかった岩手県では、最初の感染者は県内に住めなくなるという現実味がある冗談まで出てきた。

国民に強い恐怖感を持たせることは危険回避の本能を刺激することである。すると自身の感染防止が最重要になり、倫理や社会経済的な混乱は目に入らない偏った心理状態に陥る。こうして柔軟な思考ができなくなり、自分と家族を守るために、通常ではありえない反社会的行動をとる異常状態に追い込まれたのだ。専門家、メディア、そして政府は国民に極度の恐怖感を広げることの極めて重大な結果を考えなかったのだろうか。

政治に与えた多大な影響

国民が持たされた恐怖感は、世論という形で政治に影響を与える。知事はこぞって緊急事態宣言の発令を求めて、感染対策に熱心であることをアピールした。そして政府支持率は感染者の増減と比例した。総理大臣記者会見に医療専門家が同席し、自身が政策決定者であるような発言を行って人気を得ると、専門家こそが正しいという風潮が出来上がり、政府の影は薄くなった。

　野党もまた実現不可能なゼロコロナ政策を提言し、オリンピック開催に反対するなど人気取り政策に専念した。そして政策決定は政治の役割であることを忘れて、政府の方針に対して「専門家の意見を聞いたのか」と問いただすなど、専門家を政策決定者のように取り扱う誤りを犯した。

　緊急事態宣言については、その感染防止効果がほとんど見えないにもかかわらず、社会経済に対するあまりに大きなマイナス効果があったことから、政府は政策変更の必要性を考えていたが、このような雰囲気のなかで対策の緩和はできなかった。

　流行第2波のころ退任会見を行った安倍元首相は、新型コロナ対策をゆがめた元凶である感染症法上の2類指定を見直すことを明言し、大きく報道された。しかし、さらに大きな第3波、第4波の流行を迎え、またオリンピック開催を目前にして、菅元首相は感染対策の緩和を言い出すことさえ困難な状況だった。

　政治が民意を反映するのは当然だが、政治が作り出した恐怖に根差す民意が政治の手を完全に縛ることになった。こうしてリスク管理の原則であるリスク最適化は忘れられ、対策の費用対効果の検討は無視された。

「リスクの最適化」について報じないメディア

メディアの役割は権力の監視だが、残念ながら多くのメディアが専門家と政府の生命尊重の「正論」を無批判に受け入れて、「恐怖キャンペーン」に積極的に協力した。対策による社会経済的な混乱が失業率を上げ、経済的困難に陥る人を増やし、自殺者を増やすことに対する配慮は少なすぎた。さらに、感染者の8割は軽症か無症状であり、その人たちは自分でも感染に気が付かずに通常の生活を送り、感染を広げている。にもかかわらず、確認された感染者だけを非難し、差別することの不条理について、メディアはほとんど取り上げなかったのである。

新型コロナをめぐるメディア空間はまさにインフォデミックと呼ぶにふさわしい。インフォデミックはインフォメーション（情報）とパンデミック（感染症の世界的流行）を合成した言葉だ。新型コロナの流行が発生したときに多くのフェイクニュースが既存のメディアやSNSを通じて拡散し、何を信じてよいか分からないような洪水情報に皆が翻弄された。この状況に警告を発したWHO（世界保健機構）の言葉である。

ただ確実に言えるのは、やはりメディアは恐怖や不安情報を好むということだ。筆者の唐木氏は、リスク管理の要諦は「リスクの最適化」だと強調する。全く同感である。いくらコロナ感染者が減っても、その裏で巨額で悲惨な経済的・文化的な損失が発生していれば、リスクの最適化からは程遠い。長い人生を考えたら、コロナ感染よりも大事なことはいくらでもある。コロナに感染するリスクは、身の回りにたくさんあるリスクの一つでしかない。

しかし、これまでのメディア報道を見ていると、そういうリスクの最適化を重視するニュースに出会うことはあまりなかった。メディアはもっぱら感染リスクの増減に一喜一憂していたといってよいだろう。

その最たる例が2021年に行われた東京五輪をめぐる報道だった。結局、東京五輪は「無観客」観戦となった。朝日新聞は東京五輪の開催自体に反対していた。当時、筆者（小島）は、千葉県の成田空港近くから東京・新橋を経由して、神奈川県の川崎駅まで、3都県をまたいで出勤していた。列車はほぼ満員で片道2時間の通勤だった。この電車の混み具合に比べたら、野外の観客席は空気の流れもあり、感染するリスクは非常に低い。なぜ、五輪が無観客なのか、全く理解に苦しむ判断だった。当時は夏の花火や伝統行事も次々に中止となった。

五輪を開催するかどうかが議論されていた2021年7月、近藤克則・千葉大学予防医学センター教授らが中心となって発表した日本老年学的評価研究（JAGES）の研究成果はコロナ対策に対して重要な示唆を与えた。JAGESは全国の約60の市町村と連携し、高齢者約30万人を対象とする大規模な疫学的研究を展開している。

その研究成果とは、高齢者はスポーツを観戦するだけで、うつのリスクが3割減るというものだった。辻大士・筑波大学体育系助教が2019年に全国60市町村の2万1317人を対象に、スポーツを観戦する頻度とうつ傾向（15項目の高齢者用うつ尺度評価）の関連を調べたところ、スポーツを観戦する頻度の高い人は、全く観戦しない人よりも、うつの割合が約3割も低かった。観戦の仕方は直接、試合会場で見る場合とテレビやインターネットで見る場合の両方を含むが、どんな形であれ、スポーツを見て楽しむことが心の健康に大事だという研究だった。

長い目で見れば、人生の中で一時の感染リスクよりも日々の観戦のほうが大事なのである。辻氏によると、スポーツを観戦する人ほど地域に愛着をもっていたり、友人とのつながりが多かったりする。そういう社会的な心の交流や地域愛が、うつ傾向のリスクを低下させている要因ともいう。

この研究は、心身の健康を考えるうえで「人と人のつながり」などの社会的要因がいかに重要かを示唆する。しかし、実際には政府のコロナ対策で多くの高齢者がステイホームや移動の自粛を強いられ、抑圧された環境に置かれた。「コロナうつ」という言葉が登場したのは当然の結果である。

人と人のつながりがいかに重要かを示す研究成果（1カ月に10人以上の友人に会っている高齢者は、会っていない高齢者に比べて、歯が2・6本多く残っているなど）は、日本老年学的評価研究（JAGES）のサイトを見れば、たくさん出てくる。残念ながら、近藤教授らの発表を多くの記者がオンラインで聞いていたが、記事にはならなかった。

人と人の交流、地域への愛着、地域住民の皆が連帯して初めて実現する伝統行事、それらはコロナ感染よりもはるかに重要なソーシャルキャピタル（社会資本・社会財産）である。ところが、新型コロナウイルス対策では感染者の数だけを指標にして「ステイホームしましょう」とか「飲食は4人まで」とか、極力、人と人のつながりを断ち切るような政策ばかりが横行していた。そのせいで飲食店の多くが倒産し、生活が立ちゆかなくなった人も多い。各種イベントが中止になり、失業した人も多い。そういう経済的・文化的な損失も含めると、コロナ対策は明らかに人々の健康度や幸福度を下げたといえる。

コロナ対策で感染が少々減ったところで、そのリスクを上回って心身の健康がむしばまれれば、リスクの最適化からは程遠い。無観客での五輪開催は、騒ぐメディアと一部大衆の反対運動におもねるような政治的判断であった。

ここで新型コロナ問題の全体像を論じる紙幅はないが、いま（2023年秋）になって振り返ると、なぜあれほど騒いだのかとの思いがよぎる。もちろん、コロナ感染はまだ終わったわけではなく、油断は禁物だ。それでもお祭りの喧騒のあとに味わう、平穏な気分に通じるものを感じる。

この印象はBSE（牛海綿状脳症）のときも、HPV（ヒトパピローマウイルス）ワクチンのときも、2009年の新型インフルエンザのときも抱いた。新型インフルエンザのときは、海外渡航歴のない高校生が感染したと分かると、感染者に対する非難や中傷が沸き起こった。今回のコロナでも様々なケースで感染者に対する以前と同様の非難、中傷が起きている。何も変わっていない。

新型コロナウイルス感染症は2023年5月8日付で、ようやく、結核やジフテリアなどと同じ扱いとなる「2類感染症」（入院の勧告や外出制限などが可能）から、季節性インフルエンザと同等の「5類感染症」になった。これで、コロナ感染者は一般の病院でも治療を受けられるようになり、外出の自粛も不要になった。どうみても遅すぎる。大半の人が風邪程度の症状であるオミクロン株が主になった2022年の早い段階で5類指定にすべきだった。

不安や恐怖を煽る「映像」が国民を不安に陥れたケースはBSE（牛海綿状脳症）でも、HPV（ヒトパピローマウイルス）ワクチン接種でも見られた（詳しくはこの後の項目を参照）。今回のコロナ報道でも、また見られた。

スーパーコンピュータ「富岳」がシミュレーションした「飛沫・エアロゾルの拡散映像」である。この映像がテレビで繰り返し報道されるのを何度も見た。飛沫がわぁーと部屋中に拡散する映像を見れば、誰だって恐怖心からマスクをはずせなくなる。しかし、マスクはエアロゾルには効果がない。いまなお多くの人の脳に残っているのは、あの恐怖心を起こす残像ではないだろうか。

子宮頸がんワクチン報道はメディアの大敗北

それは悲惨な映像シーンから始まった

子宮頸がんや中咽頭がんなどを予防するＨＰＶ（ヒトパピローマウイルス）ワクチンに関する一連の報道を振り返ってみて、それをひと言で描写すれば、メディアの敗北と言ってよいだろう。科学的事実を伝えることに失敗したという意味の敗北だ。さらに言えば、メディアは不安や恐怖を煽って接種率を激減させ、そのあと、メディアは何一つ検証せず、そのまま沈黙してしまった。事後検証が苦手なメディアの悪癖が出た典型例でもある。

日本国内の牛が原因の感染者がゼロだったＢＳＥ（牛海綿状脳症）の報道でもメディアの敗北という言葉を使ったが、このワクチン報道の場合は、結果的に将来、子宮頸がんになる女性を増やすという実害を生み出す点でメディアの大敗北といえる。

ＨＰＶワクチン問題を論じれば、それだけで1冊の本になってしまうが、ここではメディアもしくは記者の意識と行動がいかに不安と恐怖を生み出すかという行動原理にしぼって論じてみたい。

子宮頸がんはウイルスの感染で生じる。毎年約1万人が罹患し、約2800人が死亡する。若い世代の罹患が増えているだけに、がんを減らす対策は急務だ。幸い、ウイルスの感染を防ぐワクチンが開発されている。いち早くワクチン接種を導入した豪州ではすでに「撲滅できるがん」になりつつある。

日本では2010年度から全国の自治体で公費助成による接種が始まった。そして、2013年4月、誰でも無料で接種できる国の定期接種が始まった。それ以前の公費助成によって、1994年～1999年生まれの女性たち（主に中学高校生）の約7割が接種した。

ことが大きく動き出したのは、定期接種が始まる直前の2013年3月25日のことだ。「全国子宮頸がんワクチン被害者連絡会」の発足会見が東京都内で行われた。5人の親が、娘たちが接種後に歩行困難や全身の痛みなどの症状が出たと切々と訴えた。筆者（小島）は記者として会見にいた。このとき、女子たちの歩行障害や足のけいれんなどの様子を収めたDVDが記者たちに渡された。

この映像がその後、テレビで何度も放映され、全国の母親に不安を与えることになる。翌3月26日には朝日新聞が「子宮頸がんワクチン　中学生が重い副反応」との見出しで東京都内の女子中学生が体のしびれや歩行障害などをかかえていると報じた。以後、他紙も続き、続々と副反応に関する報道が増えていった。

そのすぐあと、2013年4月に国の定期接種が始まったのだが、女子たちの悲惨な状況に関する報道が相次ぎ、わずか2カ月後の6月、国は無料で接種できる制度を残したまま、「積極的な勧奨の差し控え」を自治体に通知した。これで接種率は一気に落ち込んだ。

その後、ワクチン接種後に生じた女子たちの諸症状について、「ワクチンでこんな症状を示す例を見たことがない。明らかに薬害だ」と主張する医師や学者、弁護士が現れ、マスコミの表舞台に登場した。以後、ネガティブな報道が続き、「ワクチンは危険で怖い」というイメージが定着していった。

記者・メディアの五つの行動原則

ここで疑問が湧く。なぜ、大半のメディアはワクチンの有効性よりも危険性を強調し続けたのか。それはメディアの宿命ともいえる行動原理にある。その行動原理は五つある。以下の通りだ。

①記者は「被害者の声を優先する」「弱者の立場に立つ」という行動原則。弱者に寄り沿う

姿勢だ。もちろん、メディア媒体によって差はあるものの、基本的に「市民の共感」を得るニュースを届けていくスタンスだ。

②記者は一般に危険性を訴える「少数派の学者の主張」に注目するという行動原理をもっている。世の中に警鐘を鳴らすのが記者の使命だという原則だ。

③記者は社会正義を訴える市民団体や弁護士の正義感あふれるアクションに共鳴する習性をもつ。これは政府を市民目線で監視するのが記者の使命だとの考えにも通じる。

④記者は過去の記事の誤りに気づいても、なかなか訂正しない。訂正を通じて、読者に真実を届けるよりも、過去の記事との整合性にこだわる。

⑤記者はいったん自分たちの主張が通用しなくなると、どちらにも与《くみ》しない「両論併記か「報道しない」というスタンスに傾く。つまり、不利だと分かると沈黙する傾向がある。

これら五つの行動原則がＨＰＶワクチンの接種率の激減をもたらし、国民にワクチンの不安と恐怖をまき散らしたのである。もちろんメディアだけが世の中を動かすわけではない。ＨＰＶワクチンについて言えば、残念ながら、こうしたメディアの行動原理に対抗するだけのパワーを既成の医師会や学会、国が発揮しなかったことも、反省点として残る。

記者の共感、動く世論

記者の行動原理を具体的な事例で説明したい。

２０１３年から２０１６年まではネガティブな報道が目立った。例えば、２０１４年９月、政府の副反応報告に対して、西岡久寿樹・東京医科大学医学総合研究所長（当時）らは「ワクチン関連神経免疫異常症候群」（ＨＡＮＳ＝ハンス）という診断予備基準案で「副反応の数は政府の発表よりも6倍も多い」と記者向けに発表した。ハンスは言葉としても分かりやすい。すると、毎日新聞は「副作用が相次いで接種勧奨が中止されている子宮頸がんワクチンについて」という書き出しで、西岡氏らの報告をそのまま報じた（9月12日付）。見出しは「副作用１１１２人、厚労省調査の6倍」だった。書いたのは社会部の記者だ。記者の使命感と正義感に燃えて書いたのだろう。政府が公表した副反応報告よりも深刻な事態が起きていると政府を批判する形で書いていることが分かる。

しかし、このＨＡＮＳという予備診断名は冷静に考えれば、医学的に矛盾だらけである。なんと接種してから4～5年たったあとに発生した症状でも「ハンス」と診断できた。免疫学的な副反応と言いながら、ＨＰＶに対する免疫反応の測定基準さえなかった（「産婦人科の実際」２０２１年3月号・角田郁生氏の論考参照）。まともなウイルス・免疫学者が見たら問題だらけの研究報告（査読付き論文にはなっていない）でも、社会部記者の心には響いた。

筆者（小島）も何度か西岡氏らが発表する学会に出席したが、その情熱とアピール力は確かに記者の心の琴線に触れるものだった。諸症状に苦しむ女子たちの窮状をなんとかして救いたいという情熱も伝わってきた。ただ私自身は記事にしなかった。けれど、同じ毎日新聞社でも、社会部、科学環境部、生活報道部の三つの部の記者がワクチン問題を追いかけているので、私が書かなくても、社会部の記者が書くケースは何度かあった。

池田修一・信州大学医学教授（当時、厚生労働省研究班代表も務めていた）の発表も記者の注目を浴びた。２０１６年３月16日、患者の８割は同じ遺伝子をもち、ワクチン接種で脳に異常が起きるとするマウス実験を記者に話した。すると同16日夜、ＴＢＳテレビ「ＮＥＷＳ23」に池田氏が登場し、「明らかに脳に異常が起こっている」とアピールし、全国民を震えあがらせた。もちろん、どのメディアも池田氏の主張を記事にした。それと並行して、被害者連絡会や弁護士たちは「薬害」だとの認識でたびたび記者会見を開いていた。

このように２０１３年から２０１６年までは、対マスコミで情報戦を制したのは西岡氏や池田氏らを中心とするワクチン危険派だった。記者たちの心をとらえたのは、弱者に寄り沿う医師や学者、弁護士だった。学会全体から見れば少数派だったが、記者の共感を得ながら、メディアという情報増幅装置の力を借りて、世論をぐいぐいと動かしていったのである。

記者は「システム1」でまず動く

　では、なぜ記者たちは「共感」を重視するのだろうか。もっと理性を働かせて熟慮の末にニュースを書けばよさそうなのに、なぜか直情的な気持ちでニュースを届けるケースが多い。そういう記者の行動については、よく知られている行動経済学的な概念でも説明できそうだ。ノーベル経済学賞を受賞した心理学の研究者でもあるダニエル・カーネマン氏が『ファスト&スロー』（ハヤカワ・ノンフィクション文庫）で述べているように、人の思考や意思の決定は、「感情的で直感的なシステム1」と「理性的・論理的なシステム2」の二つで行われる。これを記者の行動原理にあてはめてみると、「弱者に立つ」「市民に共感する」「少数派の考えを重視する」は、深い思慮を要せず、直感的に素早く判断できるシステム1に基づくアクションである。これだと記事も速く書ける。

　例えば、こうだ。記者たちの前に次のような女子たちが現れて窮状を訴えた。

「ワクチン接種後に全身の痛みが生じ、学校へ行けなくなりました。接種前は元気だったのに、いまは絶望の日々です。既存の医療機関を受診したら。冷たく扱われました。助けてください」

　どの記者の心も揺さぶられるはずだ。

そこへ、一部の医師たちが加わった。「こんな女子たちの症状は過去に見たことがない。原因はワクチンです。日本人特有の遺伝子が関係している可能性もあります。マウスの実験から脳の異常は明らかです」。さらにリベラル派の人権重視の弁護士が「これは製薬会社と国による薬害です」と熱く訴える。

こういう条件がそろうと、記者たちは感情的で直観重視のシステム1で動き出す。安倍晋三元首相の暗殺にからむ一連の旧統一教会に関する報道もこれに似ている。

システム1の場合、記者たちは深い思考力や論理力を駆使していないものの、悪意をもって報道しているわけではない。女子たちの窮状や少数の医師の意見を大きく報じることに社会的な意義があると思って報道している。記者の側にとりたてて不安を煽る意識もない。にもかかわらず、結果的に「ワクチンが危険」というネガティブ報道が多かったのは、記者の行動原理とシステム1が作動して、ニュースが出来上がるからだ。どの媒体の記事の内容も似たり寄ったりなのは、多数の記者にこの原理が働くからである。記者たちが一斉に足並みをそろえて不安を煽ってやろうと思って行動しているわけではない。ちなみに全国紙の地方版を見ると被害者たちの言い分をそのまま載せた記事がほとんどだ。

驚くべきことに、冷静な対処を求められるはずの厚生労働省までもが、定期接種からわずか2カ月後に「積極的な勧奨の中止」というシステム1の感情的な判断に走ってしまったように思える。危機的な状況に追い込まれると優秀な頭脳も発揮できなくなるわけだ。記者や官僚だけがシステム１で動くのではない。政治家もまた世の中の感情に支配され、システム１で動く習性をもっている。選挙を支配する原理はシステム１そのものである。

あとから冷静に振り返ってみると、２０１３年〜２０１６年の報道は不安と危険性を助長するバイアス報道に満ちていたと誰もが思うだろう。だが、当の記者たちは「煽ったつもりはない」という意識が強いはずだ。いま記者に聞いても誰もが「記者として当然の仕事をしただけです」と答えるだろう。

明治時代に新聞が生まれてから、新聞や雑誌はこのシステム１の原則で動き、購読者を増やしてきた。いまもそれが続くのはビジネスモデルとして持続可能だからだ。

システム１へのカウンター情報がなかった

もちろん、一連のネガティブな報道に対して、日本産科婦人科学会やワクチンの専門家たちはＷＨＯ（世界保健機関）の見解などを紹介したり、記者セミナーを開いて、ワクチンの有効性を訴えていた。「副反応に似た症状は接種しない人にも起きており、偶然の紛れ込みです」といった統計的な事実や、豪州や英国でのワクチンの成功事例などを伝えていたが、こちらの情報はシステム2（深い思考力と労力を伴う取材）の判断を要するものだった。女子たちの悲劇的な物語と統計的事実のどちらが記者の心をとらえ、ニュースになりやすいかといえば、数字よりも物語が勝つだろう。

こうした中、ワクチン問題を担当する記者たちが陣取る厚生労働省の記者クラブにしばしばやって来て、窮状を訴えていたのはワクチン反対の市民団体や弁護士、一部医師だった。行動力のパワーでは日本産科婦人科学会などは太刀打ちできていなかった。

筆者（小島）は学会の医師からよく「ワクチンの有効性や海外の様子は日本産科婦人科学会のホームページに書いてあるので読んでください」と言われたが、記事を書くタイミングとずれ、「もっと早く教えてくれればよいのに」と学会などの広報力不足を感じたことがたびたびあった。ワクチンのメリット情報を自分から取りに行く記者は少ない。ワクチン問題だけを追っているわけではないからだ。

これに対し、新聞紙面にワクチンのメリットを強調する記事が出たり、被害者側に不利な記事が載ると、新聞社や記者クラブに抗議文を送ったのは常に市民団体だった。抗議がたびたびくれば、記者は市民団体をあまり刺激しないような記事を書くようになる。記者の萎縮だ。

記者は政府からの圧力よりも、市民団体からの抗議に弱い。新聞の購読を支えているのは企業や政府ではなく、市民だからだ。そういう意味で市民が新聞を購読しなくなるのは、新聞社にとって危機的な状況である。2023年5月末で『週刊朝日』が休刊した。一つの言論機関が消失したことになる。これは言論の自由の喪失でもある。言論機関といえども、スーパーや飲食店と変わらない。お客がそっぽを向けば、市場から消えるしかない。

いま思えば、システム1で動く記者たちに対しては、システム1に基づく対抗的な広報が必要だった。例えば、子宮頸がんで子宮を失い、子どもがほしかったのにできなくなった女性の悲惨な体験談を聞いてもらうとか、ワクチンに反対する医師たちの主張の自己矛盾（例えば、西岡氏のハンス診断は、接種して5年後に発症してもワクチンの副反応となるのはおかしいと思いませんかなど）を分かりやすく突くとか、記者に「なるほど」と思わせる共感情報を伝える必要があった。

システム1の情報に対抗するためには、システム1とシステム2の両方を駆使しなければいけない。

新聞社で言えば、社会部の記者がシステム1で動いても、科学部や生活系の記者がシステム2で動き、科学的な解説記事をもっと多く書けば、バランスの取れた報道ができるはずだ。ただ、筆者自身の経験で言えば、最初のうちは副反応よりもワクチンの有効性のほうが高いといった記事を書けていたが、信州大学の池田氏や被害者団体の主張が優勢になった2014年～2016年は、筆者のような記者の主張は通りにくい空気になっていた。

ただ、いま思うと悔やまれる分岐点があった。2015年12月、名古屋市は「ワクチン接種群と非接種群で諸症状に差はない」とする疫学調査（名古屋スタディ）を公表した。これはワクチン被害者団体の申し入れを受けて、河村たかし名古屋市長が実施した調査だ。鈴木貞夫・名古屋市立大学教授が中心となって、24の多様な症状をアンケートで調べた結果、差がないというものだった。これに対して期待通りの結果が出なかった被害者団体は調査を強く批判し、結局、名古屋市は詳しい最終結果を公表できない状況に追い込まれた。残念ながら、この調査結果はほとんど報じられることがなかった。システム2で動く科学系記者たちがもっと報道していれば、流れが変わった可能性もあり、悔やまれる。

メディアは自己の過ちを修正しない

こうして、ワクチンへの不信感が高まっていた言論空間を劇的に変えたのがジャーナリストで医師の村中璃子さんだった。池田氏の行ったマウス実験の不備を指摘したのだ。これを受けて調査に乗り出した信州大学の調査委員会は2016年11月、池田氏の実験はマウス1匹の実験であり、ワクチンが脳に異常を起こすと言えるような根拠は何もないと公表した。これで報道の流れは180度変わった。

しかし、ここでメディアの本性が露わに出た。池田氏の実験を基にさんざんワクチンの危険性を煽ってきたメディアが、信州大学の検証結果を大々的に報じるかと思ったら、全くの逆だった。読売新聞を除き、朝日新聞や毎日新聞などの主要新聞は「不正はなかった」とベタ記事で短く伝え、ことの真相を掘りおこそうとする姿勢を全く見せようとはしなかった。

記者たちが信じていた池田氏の実験がもろくも崩れてしまい、もはや頼るべき柱がなくなってしまったのだ。それゆえそれ以降、沈黙したのである。さんざん煽っていたTBSテレビの報道陣も退散し、ほおかぶりした。

これが記者たちの行動原理(④の「なかなか訂正しない」と⑤の「不利になると沈黙する」)だ。自分たちが書いてきた記事に誤りがあると分かると、それを検証して真実を読者に伝えるのではなく、逃げてしまうのだ。

これを機に2017年から、ワクチンに関する報道は激減していく。2017年11月に村中璃子さんが、優れたジャーナリストに贈られる英国の「ジョン・マドックス賞」を受賞したときも、東京新聞を除き、大半の主要新聞はほぼ沈黙した。村中さんの功績を詳しく報じると過去の新聞報道が間違いだと分かってしまうからだ。毎日新聞は一行も報じなかった(私が村中さんに取材しようとしたら、市民団体からの抗議を恐れてか上司からストップがかかった)。

一連の報道で最大の教訓は何か。新聞やテレビには数十人の担当記者がいたのだが、誰一人として、池田氏のマウスの実験がそもそも科学的に見て、どういうものかを追及しなかったことだ。「脳に異常」と書くからには、その根拠を確かめるのが記者の仕事なのだが、深い思考力と努力と時間を必要とするシステム2が全ての記者（筆者も含め）に働いていなかった。どの記者も「脳に異常」という結論だけに飛び付き、結果だけで満足していた。全報道記者が村中さん1人に負けたのである。

システム2で動く記者の養成を

いったいワクチン報道は何だったのか。それを検証する記事や番組が必要なのだが、メディア自身が作ることはなかった。

新聞やテレビなどのメディアは、日ごろ、何かと「政府は説明責任を果たせ」と声高に叫ぶ。マイナンバーカードのトラブルでもそう言っている。それを言うなら、結果的にせよ、メディアこそがHPVワクチンに関する一連のバイアス報道に対する説明責任を果たすべきだが、そういう検証作業を見せてくれない。これではメディアへの信頼性は低くなる。

あれから約9年が経過し、2022年4月から、ようやくHPVワクチンの積極的勧奨が再開された。決してメディアの肯定的な報道で実現したわけではない。接種から取り残された大学生たちの「国の助成があれば、いまからでも接種します。私たちが子宮頸がんにならないよう手を貸してください」という共感的なアクション、学校などで性教育を行っている高橋幸子・産婦人科医師や細部千晴・小児科医師らの地道なアクション、厚労省副大臣を務めた三原じゅん子・参議院議員らの力強い政治行動などが積極的勧奨の実現に力を発揮した。

ニュースを届ける記者の生態から見て、現在と2013年〜16年で決定的に違うのは、担当記者が世代交代したことである。2013年〜16年に危険性を煽る記事を書いていた記者たちはすでに他の部署に異動となり、現在、肯定的な記事を書いているのは新たな記者たちである。同じ記者が自分の過去の記事を修正するのは難しいが、別の記者なら、過去にとらわれずに肯定的な記事を書くことはできる。

幸い、この10年間でワクチンの有効性を示す確実なエビデンスが続々と出てきた。新たな記者なら抵抗なく書ける。ワクチンに反対していた一部の医師たちの存在感はいまでは薄い。いったいあの嵐のようなワクチン報道は何をもたらしたのか。9年間も続いたワクチン接種の激減で今後、子宮頸がんの患者、死者が増えることだけは間違いない。

BSE、中国食品騒動、新型コロナウイルス感染症、HPVワクチンに共通するのは、科学に基づく報道が少なかったことだ。残念ながら、的確な報道のおかげで世論に惑わされずに済んだというメディアへの礼賛話は聞いたことがない。どのメディアも科学と論理的思考力で動くシステム2で判断する記者をもっと養成し、読者・視聴者の信頼を得る努力をすべきだろう。

第7章

進むメディアの分断、記者はどこまで自由か
――ゲノム編集食品、原発処理水

記者は媒体の壁を越えられるか

記者は読者からの期待に応えて記事を書く

おそらく多くの人は、「記者なら、見たこと、聞いたことを何でも自由に書ける」と思っているに違いない。だが、実はそんなことはない。記者が書いた原稿が紙面の活字となって、読者の目に触れるまでには様々なハードルがある。

もう十数年前のことだが、米国で普及する遺伝子組み換え（GM）作物を視察する記者ツアーに参加した。現場の農家の話を聞き、農薬の使用量の削減や収量の増加などGM作物のメリットを確信した。帰国後、すぐに毎日新聞にそのメリットを連載記事で書いた。朝日新聞の記者もツアーに参加していたが、どういうわけか記事が出なかった。しばらくしてその記者に聞くと、「うちの読者はGM作物のメリットに関心がない。小島さんのような記事は朝日新聞には載せられない」との返事が返ってきた。

記事を書いても、記事をチェックするデスクや部長がOKを出さねば、記事が紙面を飾ることはない。どの新聞社にもその社特有の歴史、DNA、社論、カラーがあり、その社の性質に合わなければ、日の目を見ない。例えば、朝日新聞と産経新聞では様々な点で主張が真逆と言えるため、朝日新聞の記者が産経新聞に転職し、朝日的な記事を産経新聞に出稿しても、まず載らないだろう。どんな場合でも記事が載るわけではないのだ。

そしてもう一つ、記事が載らない理由の一つに「読者からの期待」がある。新聞の世界でも顧客の満足感を満たす記事を載せないと顧客が去ってしまう。そんなバカなと思う人もいるだろうが、反原発路線を明確にしている朝日新聞や毎日新聞、東京新聞が原発のメリットを大々的に論じた記事を載せることはまずない。仮に記者がそういう原稿を出しても、原稿をチェックするデスクがお蔵入りとするだろう。

つまり、一見、記者は自由に書いているように見えるが、実は組織（新聞社やテレビ、週刊誌など）の意向にかなり制約されているのだ。

日本新聞協会によると、全国の新聞社の記者は約1万5900人（2023年4月、うち女性25％）いる。1万人以上いるからといって、1万通りの記事が出てくるわけではない。言論の自由度は媒体に制約されるため、実際には媒体の数しか自由度はない。

ボツになった記事から分かること

そうはいっても、各新聞社の間で記者の自由度に差は歴然と存在する。

毎日新聞は朝日新聞、読売新聞など他社に比べると記者の自由度は高い。これは長年の記者経験からはっきりと言える。その自由度のおかげで、社説がBSE（牛海綿状脳症）問題で「全頭検査が必要」と書いている一方で、筆者は「記者の目」という紙面のコーナーで堂々と「全頭検査は不要」と書けた。読者から「どっちが本当なんだ」という問い合わせが来たこともあった。「毎日新聞には多様な意見を載せる自由があるんです」と答えたのを思い出す。

その毎日新聞ですら、「東京都などの動物実験で遺伝子組み換え作物が安全だと分かった」という原稿を出したところ、「遺伝子組み換え作物が安全だというなら、何もあえて伝える必要はない」と言われ、不採用（この業界では「ボツ」という）となったこともあった。

また、太陽光発電の拡大を支えるために固定価格買取制度によって、莫大な金額（年間2兆~3兆円）を国民が負担させられているという原稿を出したとき、「太陽光発電をつぶして、原発を利する気か」と言われ、ボツになったこともある。

こうしたケースは数年に一度のまれなことではあったが、いずれにせよ、記者が書いた原稿はデスク、部長、社の論調という壁をくぐり抜けないと読者に届かない。

逆に言えば、どんな記事がボツになったかを読者は知ることができない。記者が出稿した原稿がどのように修正され、どのような記事がボツになったかは、読み手にとっては極めて重要な情報なのだが、それを知る手立てはない。全国の新聞社で毎日、どんな記事がボツになったかの一覧表をウェブサイトで見ることができれば、最高におもしろいメディアリテラシー（情報を読み解く能力やスキル）になるだろうが、残念ながら、どの媒体でも記事が作られる製作過程はブラックボックスだ。

これは、情報が表舞台に出てきた過程の内幕が見えないと、その素性の怪しさゆえに読み手に不気味さを与えると言い換えてもよい。

X（旧Twitter）で「除草剤のグリホサートは脳神経を破壊し、ガンのもとになる。全世界が発売を禁止した」といった書き込みを見たことがある。もちろん完全なフェイク情報だが、そもそも匿名の情報に信頼性はない。書いた人の名前も顔も素性も分からないだけに、なんとも不気味だ。なぜ、いつ、どういう意図で、どんなときに、どんな部屋でどんな格好で書き込んだかも分からない。面白半分で書いたのか、文献を読んで真剣に書いたのかも分からない。こんな得体の知れない情報をまともに読む気がしないのは筆者だけではないだろう。

新聞の記事なら筆者自身に製作の経験があるため、記事がどこまで正確かを推測する想像もつくが、製作経験のない週刊誌となると、筆者は身構えてしまう。記者がどんな取材をして、デスクや編集長とどんなやりとりをしたかが全く不明だからだ。週刊誌の記者から何度か取材を受けたことがあるが、筆者が言ったことのうち、週刊誌の描くストーリーに合った部分だけが切り取られて記事化され、自分の意図とは異なるストーリーになっていた。似たような経験をしている人が多いとよく耳にする。

情報が製作される過程が目に見えないと、記事の「信頼性」が低く見えるのだ。もしも読み手（一般読者）が編集会議に出席して、記事が出てくるまでの過程を全て知ったら、「なんで、こんなゆがんだ記事になっちゃうの」と驚くケースもあるだろうと思う。

このようにニュースの製作過程の不透明さがニュースの信頼性を低下させる要因だという点もぜひ知っておきたい。

ゲノム編集食品に対するスタンス

逆に、記者の狙うテーマや中身がその媒体の社論やデスクの目にかなうと、記者は自由に羽ばたくことができる。一例を挙げよう。

京都大学発のベンチャー企業「リージョナルフィッシュ」（京都市）が京都府宮津市の陸上養殖施設で世界最先端のゲノム編集トラフグを飼育している。そのフグの成長スピードは従来の約2倍もあり、日本の水産業を救う可能性を秘めている。ところが、毎日新聞の記者だけが、ゲノム編集食品に反対する環境団体に寄り沿い、環境団体の広報担当のごとく、反対意見を載せるネガティブな報道を２０２２年からずっと続けている。地元の京都新聞を除き、他の全国紙はほとんど報じていない。

あまりにも偏った記事が出てくるので、２０２２年5月、筆者2人が共同代表を務める「食品安全情報ネットワーク」（ＦＳＩＮ）が毎日新聞と京都新聞に意見書を送ったほどだ。毎日新聞からは回答が届き、京都新聞からは音沙汰なしだ。その意味では毎日新聞は評価できるが、もし一連のネガティブな記事を読売新聞の記者が書いて出稿していたなら、おそらく読売新聞は記事化しないだろうと推測する。

ちなみにゲノム編集食品は従来の品種改良と差はないため、国による法的な安全性審査は不要となった。それでも読売新聞は「企業から提出された資料を政府が精査しているので、実質的には審査されている」と書くなどバイオテクノロジーに好意的な記事を多く出してきた。そういうスタンスの読売新聞であれば、ゲノム編集技術を過度に否定する記事を載せることは考えにくい。

一方、宮津市は２０２１年12月からゲノム編集フグを「ふるさと納税返礼品」に採用しているが、２０２３年3月、環境団体から返礼品の取り消しを求める請願が市議会に出された。この問題で産経新聞の平沢裕子記者（生活文化系のベテラン記者）は専門家や消費者団体の意見を紹介しながら、「ゲノム編集フグに理解を示す消費者もいる。その選択の自由を奪うべきではない。ゲノム編集や遺伝子組み換え技術は未来にとって必要な技術だ」（筆者の要約）といった記事（2023年6月）を書いた。

では、この原稿を仮に毎日新聞の記者が書いたら、毎日新聞は記事を載せただろうか。ボツにはならなくても、過去の毎日新聞のトーンに沿って、大幅に書き直されることは必至だ。それくらい媒体ごとの差は存在する。

こういう媒体と記者の関係は、週刊誌の世界にもあてはまる。週刊誌だから自由に書けるわけではない。

筆者が仮に週刊誌の週刊新潮の記者だとしよう。そして、「甘味料のアスパルテームを摂取しても、健康への影響はなく、グループ2Bの分類は『もっと研究しましょう』という程度のものだ」といった朝日新聞やNHKが報じたような原稿を出稿したとしよう。採用されるだろうか。否である。週刊誌の路線に合わないからだ。

一般的に多くの週刊誌では、科学的な正確性よりも、ぎょっと見られるような派手な記事を好む。科学的な正確性が読者の注目を浴びて、売れ行きに貢献するなら話は別だが、そのようなことはほとんど起こらない。週刊誌のデスクや編集長は自らの立ち位置をちゃんと心得ており、不安を煽ることで読者が驚くような記事を載せる。電車の中吊り広告を思い出してもらうとよく分かるだろう。そうやって厳しい競争を勝ち抜いてきた成功体験があるため、そう簡単にこれまでのやり方を変えることはできない。

よく「記者個人が科学的な知識をもっと身につければ、良質の記事が増えるのに」という声を聞くが、それにも限界がある。いくら科学に強い記者がいても、その記者が属する媒体の方針（社風、デスク・部長の意向）にそぐわないとその力は発揮されない。週刊誌の記者がいくら科学的知識をもっていても、人目を引くがんの最新治療というテーマならともかく、食品添加物や農薬、遺伝子組み換え作物といったテーマでは、科学的な記事を載せることはまずないだろう。「科学的に安全だ」という話では人目を引けないからである。

どんな記者も間違いなく組織に制約される。だからこそ、いろいろな価値観や政治性、社風をもった様々な言論機関が必要なのである。

「テセウスの舟」に乗った記者たち

では、例えば、筆者（小島）が主義・主張の異なる週刊誌や新聞社に行って、その媒体のDNAを変えることはできるのだろうか。ほぼ無理であろう。朝日新聞の記者が産経新聞に行っても何の変革もできないだろう。

哲学的な議論の寓話である「テセウスの舟」（テセウスはギリシャ神話の王）をご存じだろうか。ある高齢の漁師の舟がある。10年、20年と使ううちに舟は傷み、その都度、木の板や部品が修理・交換されていく。その舟は祖父から受け継いだ息子や孫の代になると、舟の木や部品は全て新しくなっている。しかし、その舟自体は祖父や父が使っていた舟と同じだ。おそらく息子は「この舟は父のものと同一だ」という感覚をもっているはずだ。材料が少しずつ連続的に交換されていくと、舟という姿（構造）は何十年間も変わらないのである。

新聞や週刊誌も同じである。

私が１９７０年代に入社したころの毎日新聞社の社員はすでに存在していない。約50年間で社員は全て入れ替わった。しかし、社論や社風（伝統や遺伝子と言ってもよいだろう）は保たれている。少数の記者がときどき反乱を起こそうとも、社という構造はびくともしない。週刊誌も同じだ。「テセウスの舟」に乗った記者は、舟とともに運命を共にするしかない。

では、その舟は永遠に生き残って、海に浮かんでいるのだろうか。そんなことはない。舟の進む方向が時代に合わなくなれば、舟は沈んで消えていく。かつて左翼の人たちに愛された朝日ジャーナルは１９９２年に廃刊となった。朝日新聞のエース記者だった筑紫哲也氏が１９８４年に編集長になり、再興を期したが、時代の荒波には勝てなかった。同じ朝日新聞社が発行する週刊朝日も２０２３年5月に休刊した。

ただし、危機的な状況に直面すると、突如として舟が方向を変え、舵を大きく切ることもある。おだやかな論調で知られた中日新聞（東京新聞）が原発事故を機に、急に左派的な方向に舵を切り、市民団体から熱烈な歓迎を受けるようになったのがその一例である。

ロシアのウクライナ侵攻でエネルギー価格が高騰し、原発が脱炭素エネルギー源として見直されてくる中、朝日新聞よりも反原発路線を鮮明にした東京新聞という舟がこの先、おだやかな海原を航海できるのか、嵐に遭って遭難するのか、注視したいが、どちらにせよ、その舟に乗っている記者たちは、その舟に運命をゆだねるしかない。どこまでいっても、記者は「テセウスの舟」の部品でしかないのだ。

分断が進む新聞の世界

太陽光と原子力、新聞によって真逆の見出し

これまでの説明で記者と媒体の関係が分かったと思う。記者の自由度よりも媒体の差のほうが大きいことも分かったはずだ。では、実際に媒体間で記事の中身はどれくらい違うのだろうか。その違いは、記者が主体的に取材した記事だけでなく、国が発表したプレスリリースでも起きる。

もちろん、昔から新聞社間で社説（社論）の相違はあったが、その違いが特に大きくなったのは、２０１１年3月に起きた東京電力の福島第一原子力発電所の事故のあとからだ。新聞の陣営は原発肯定派と反原発派の真っ二つに割れた。東京新聞（中日新聞社が関東地区で発行する日刊新聞なので、中日新聞と同じ）は特に反原発に舵を切り、朝日新聞のシンパだったいわゆるオールド左翼の読者層を取り込んでいった。

私の見方では、現在、朝日新聞、毎日新聞、東京新聞、共同通信と読売新聞、産経新聞が

対立する構造になっている。殺人事件や政治家の汚職事件のような社会面の記事はどの新聞も似たり寄ったりの内容（それはそれで大問題なのはこの章の最後で触れる）だが、安倍晋三元首相の暗殺や原発処理水の海洋放出など政治性を強く帯びたテーマになると途端にその差が際立つようになる。

これは言い換えると、1紙だけを長く読んでいると、その1紙に特有の情報に染まっていくことを意味する。つまり、多様な情報に接する機会を失うことになる。

例を挙げよう。

2021年8月3日、経済産業省は2030年時点の太陽光や原子力など各電源の発電コストの試算結果を有識者会議で示した。それを報じた翌日の主要新聞の見出しは真っ二つに分かれた。見出しを見てみよう。

読売新聞＝太陽光コスト「割高」天候が左右不安定
産経新聞＝太陽光一転割高に
毎日新聞＝太陽光8・2円最安
朝日新聞＝太陽光が下回る見通し
東京新聞＝太陽光の発電費最安

NHK＝総合的には太陽光はコスト高

読売新聞と産経新聞、NHKは「太陽光は割高」だと強調し、毎日新聞、朝日新聞、東京新聞は「太陽光が最安」だと報じた。

一般に太陽光発電は安いと思われているようだが、実は違う。なぜ、太陽光は割高なのかについて、読売新聞、産経新聞、NHKは次のような解説を書いていた。

「太陽光は太陽が照らない夜間、雨、曇り、雪の日は発電できないので、稼働（利用）率が低い。太陽光が休んでいる間は火力や原子力などのバックアップ電源のコストがかかる。その一方、昼間に太陽光発電が稼働している間は、火力発電は出力調整に追われ、しばしば休むことになり、効率的な稼働ができずに火力発電のコストは上昇する。また、太陽光の設置には山林などを造成する費用もかかる。さらに太陽光が増えれば、それを各家庭や工場に届ける送電網の増強整備費もかかる。そういう統合的なコストを加えると結局、太陽光は割高になる」

要するに、年間の平均利用率が20％以下の太陽光発電はそれだけでは全家庭、全工場に必要なだけの電気をつくって送ることができず、火力発電や原子力発電所などとセットでしか電気を供給できない。つまり、自立した電源ではないのだ。その結果、太陽光発電は常に二重投資（火力発電などとセットだから）となる。二重投資になれば電気代は上がる。

確かに太陽光発電だけを見れば、電源コストは安いだろうが、現実には太陽光だけでは天気のよい日しかその恩恵が受けられない。太陽光が休止しているときに応援に駆り出される他の電源コストや新たな送電網のコストなども含めたトータルのコスト（統合的なコスト）を含めると、太陽光は高いというのが読売新聞や産経新聞の解説だ。

これに対し、朝日新聞や毎日新聞は統合的なコストには詳しく触れずに「太陽光のほうが安い」という論理を強調した。九州電力管内では太陽光パネルが増え過ぎて、たびたび太陽光発電の出力制御が実施されてきた。太陽光や風力は需要とは関係なく発電するから、供給量が増え過ぎたときに「しばらく発電をやめてください」と求めるのは当然である。太陽光は需要に合わせて発電ができないからだ。太陽光パネルをいくら普及させたところで、天候に左右される壁は破れない。

ところが、毎日新聞は2023年8月8日の朝刊で「再生エネ　原発5基分ムダ　九州3～5月に9日間」との見出しで原発や火力を優先させているほうが問題だとする記事を載せた。「原発は出力をすぐに調整するのが難しいため、つくった電気を抑制することはない」と、太陽光発電が原発の犠牲になっているかのように報じた。そもそも原発と火力発電がしっかりと稼働していれば、太陽光発電は不要である。自然エネルギーである太陽光発電を何としても良い発電だとしたい記者と媒体の偏った記事の典型である。

天候に左右される太陽光や風力を多く導入した西欧の国ではどこも電気代は上がっている。

いくら太陽光を増やしても、トータルの電源コストは安くならないのだ。

ここで強調したいのは、やはり1紙だけを読んでいると偏った情報（バイアス）に陥りやすいということだ。

この記事を見ても分かるように、朝日、毎日、東京は何が何でも「原発のコストは優位性を失った」ということを主張したいのが分かる。それに対し、読売、産経は実際の運用では太陽光のコストはまだ高く、原発の優位性は揺るがないという路線を肯定的に報じたいことがうかがえる。

これが新聞の言論空間での「分断」である。分断といっても、悪いことばかりではない。よく言えば、新聞界全体で見れば、言論の多様性が確保されているともいえる。とはいえ、朝日、毎日、東京新聞を読んでいる限り、太陽光は夢のような自然エネルギーであり続けるだろう（ただし最近は一部の記者が目覚めたのか、朝日、毎日とも太陽光発電による環境破壊に伴う負の側面を報じ始めている）。

福島第一原発の処理水報道でも見られる分断

福島第一原発のタンクにたまるトリチウムを含んだ処理水の海洋放出に関する報道でも、新聞の分断は明確に見られた。

処理水の海洋放出は2023年8月24日に始まった。同時に中国が日本からの水産物の輸入を全面的に停止する措置を取ったため、「国内で風評被害が起きるのでは」という予想や懸念の風向きが変わる事態が発生した。そういう予想外の事態はあったものの、8月24日前後の新聞を見ると、やはり分断の構図は太陽光の報道の構図と似ている。朝日、毎日、東京新聞は漁業者の反対を楯に「政府は漁師の声を無視して海洋放出を強行」といった論調で放出を批判的に報じた。

これに対し、産経新聞は中国や韓国の原子力発電所では日本より多いトリチウムを海に放出している地図を載せ、トリチウムの放出は「世界の原発で実績」（8月25日付）との大見出しで海洋放出を肯定的に報じた。産経は同じ日のくらし面で、福島の魚を「たくさん食べて応援したい」との見出しで福島県新地町で行われていたイベントの模様を報じた。

読売新聞も産経新聞と似ている。海洋放出を「福島第一　廃炉へ一歩」（8月25日付）との見出しで肯定的に報じた。社会面では福島の漁師たちの厳しい声を伝えたものの、見出しは『常磐もの』守る覚悟」と常磐ものの魚を食べて応援しようというニュアンスをにじませた。

ただ、中国が日本の水産物の輸入禁止を決めたため、放出前はどの新聞も「国内の風評被害」を懸念材料として挙げていたが、日本にとって、いわば共通の敵である中国が現れたことによって、対中国という面では分断の構図が微妙に揺れる構図になったのは興味深い。特にNHKの「クローズアップ現代」をはじめテレビの報道では「中国の身勝手な措置に負けてなるものか。皆で日本産の魚介類を食べて中国の措置に対抗しよう」という空気が強くなった。こうした動きを敏感に感じ取ったのか、新聞も表立っては中国の肩をもつわけにはいかず、対中国では足並みをそろえて、中国の輸入禁止に合理的な根拠はないと強く非難した。

それでも、朝日新聞の社説（2023年8月29日付）は「科学的な議論に応じないだけでなく、正確な情報を国内に伝えず、不安ばかりをあおる中国政府の対応も、極めて責任を欠いたもの」といいつつも、「中国の市民が懸念を抱くことは理解できる」と書いた。これを読むと皮肉にも日本の政府は中国と違って、正確な情報を日本国民に伝えたとも解釈できる。中国から日本へ嫌がらせの電話が殺到したことに対しても、「こうした悪質行為に及ぶのは、中国人のごく一部にすぎない」と中国への配慮がうかがえる。

また、琉球新報は、放出開始前に中国が日本産水産物の輸入規制措置をとったことに対して、「強硬な手段だが、それだけ懸念が根強いのだろう」（8月23日付社説）と中国に理解を示した。やはり媒体によって中国へのスタンスは微妙に異なることが分かるだろう。

処理水の安全性の表現に濃淡

このように、何か重大なテーマが出てくると新聞の分断はより鮮明になる。処理水をめぐる報道では、共通の敵となった中国の輸入禁止措置の前のほうがよりくっきりと分断の構図が分かる。それらの事例を具体的に見てみよう。

２０２１年4月13日、政府（当時は菅義偉政権）はタンクの処理水を海洋に放出することを決めた。そのときの主要一般５紙の１面の見出しを比べてみよう。

朝日新聞＝「『風評被害、適切に対応』唐突な政治判断　地元反対押し切り」
毎日新聞＝「原発処理水政府決定　風評懸念　漁業者反発」
東京新聞＝「原発処理水23年にも海洋放出　政府『安全』不安拭えず　漁業者は抗議」
読売新聞＝「処理水23年めど海洋放出　飲料基準以下に希釈、『風評』東電が賠償」
産経新聞＝「処理水放出２年後めど　政府決定　基準濃度の１／40」

朝日、毎日、東京は「地元反対押し切り」「漁業者反発」「不安拭えず」という言葉を使い、明らかに否定的なニュアンスを伝えた。これに対し、読売、産経は「処理水は安全だ」という意味を表す言葉を使った。明らかに二つの陣営が存在することが分かる。

具体的に言うと、読売新聞は1面の見出しに「飲料基準以下に希釈」という言葉を使った。この見出しだと処理水は飲料水よりも安全だというニュアンスが伝わる。風評で起きた被害は東京電力が賠償するというメッセージも見出しに盛り込んでいる。安全性を強調することで風評被害をなんとかして抑えようとする意図もうかがえる。

産経新聞も、読売と同様に国の排水基準（1ℓあたり6万ベクレル）の40分の1（同1500ベクレル）未満に薄めて放出するというメッセージを見出しで伝えた。読売、産経とも処理水を海洋に放出しても、環境や人体への影響はないと訴えたわけだ。

一方、朝日新聞には見出しに処理水と健康影響に関わるような言葉はなく、地元の反対を押し切る形で放出を強行するニュアンスを伝えた。風評被害に対しては政府が適切に対応するとの言葉も見られるが、読売新聞に比べると明らかに海洋放出に否定的だ。毎日新聞は風評が懸念され、漁業者は反発しているという朝日新聞と似たメッセージを伝えた。

5紙の記事を読む限り、どの新聞も「風評被害が懸念される」という点では一致している。だが、その海洋放出に対して、読売と産経は「健康への影響はない」と言っているのに対し、朝日と毎日は大きな不安や恐怖感を煽っているわけではないものの、漁業者の反対や対話が足りないとして海洋放出に否定的な印象を伝えた。

1紙だけに頼ると情報が偏りやすい

二つの陣営で際立つ差は、韓国や中国に対する扱いにも表れる。いうまでもなく、朝日、毎日、東京は中国や韓国に寄り添うような報道を続け、読売、産経は中国や韓国の反対を明確に「おかしい」と断じて報道している。

トリチウムを含む処理水を海洋に放出する問題で最大のポイントは、中国や韓国でも原子力発電所からトリチウムを含む処理水を海洋に放出しているという事実だ。中国や韓国が放出しているトリチウムの量を地図に描いて数字で示せば、日本を非難する資格がないことは一目瞭然なのだが、朝日、毎日、東京（共同通信社も）新聞は中国や韓国を強く非難しない傾向がある。

その点、読売新聞は容赦ない。2023年6月23日の1面で大きく「中国原発　放出6・5倍　福島第一処理水に比べ」との見出しで、中国は日本よりもはるかに多いトリチウムを海洋に放出していると報じた。日本の福島第一原発のトリチウムの放出量は年間22兆ベクレル未満なのに対し、中国は、浙江省・泰山第三原発だけで約143兆ベクレル（2020年）のトリチウムを放出している。他の三つの原発からも合計で約300兆ベクレルのトリチウムを放出している。根拠となる数字は日本政府が中国の原子力エネルギー年鑑や事業者の報告書を基に作成したものだという。中国の四つの原発が放出しているトリチウムの放出量の数字は地図入りで記事に載った（図表11参照）。

また、読売新聞は同日付新聞の国際面で韓国の様子も報じているが、韓国の野党「共に民主党」は処理水を「核廃水」と呼んで反対しており、韓国の反対運動が根拠なき理由で過激化している様子を伝えている。中国や韓国の反対は日本への言いがかりだと明確に主張する報道である。

処理水報道で一番重要なポイントは、世界中の原子力施設がトリチウムを含む処理水を環境へ放出しているという事実だ。産経新聞もしばしば地図入りで中国や韓国の原子力施設が大量のトリチウムを流している図や表を載せている（図表12参照）。図や表を見せれば、日本だけが特別なのではないことが一目で分かる。ところが、そうした図や表を朝日、毎日、東京の陣営はあまり載せない。

同じ処理水報道でも、新聞によってこうも大きな差があるのである。朝日や東京新聞を読んでいる人はおそらく処理水の放出に否定的な意見をもつだろう。一方、読売新聞の読者は、処理水の放出に賛成する人が多いはずだ。処理水と風評の問題に絞れば、朝日、毎日、東京の報道は風評を抑える役割を果たしていない。「風評を抑えるのは政府や東京電力の役目だ」と考えていることが記事からもうかがえる。これでは風評が生じないほうがおかしい。

やはり、1紙だけの情報に頼ると偏った情報に染まってしまう。

図表11／読売新聞「トリチウムの年間排出量を巡る日中の比較」

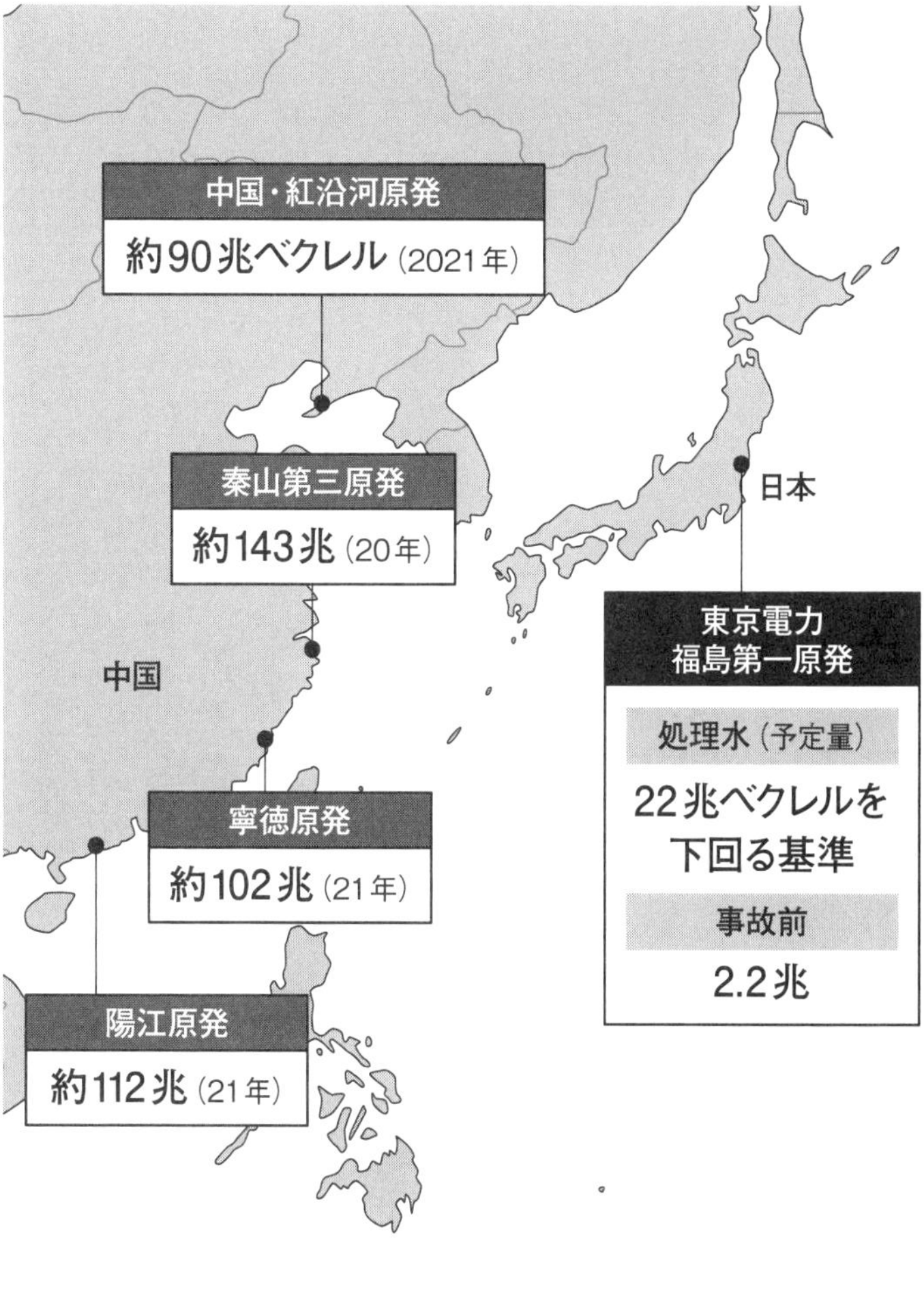

出所／読売新聞より筆者（小島）作成

不安を煽る記事は地方紙にも

新聞の分断は主要な中央紙だけの話ではない。地方紙にも不安を煽る記事はある。処理水に関する地方紙の社説のうち、目に余るほどの記事を載せた三つの例を挙げてみよう。

筆頭は、琉球新報（２０２２年5月21日付）だろう。見出しは「原発処理水計画認可へ『汚染水』放出は無責任だ」。海へ流すときのトリチウム水は公的には処理水（トリチウムを除く放射性物質は基準以下に除去）と呼び、汚染水とは言わないが、あえて環境や人への影響があるかのように響く「汚染水」という言葉を使う。朝日新聞や毎日新聞でもさすがに「汚染水」とは言わなくなった。２０２３年夏以降も「汚染水」や「核廃水」という言葉を使うのは、中国や韓国（特に韓国の野党「正義党」など）である。琉球新報は中国や韓国の側に立っていることを印象づける言葉を選んでいる。

トリチウムは自然界で発生しており、江戸時代にもあったし、いまも微量ながら川や海、雨、人体にも存在する。トリチウムはごく弱いベータ線（放射線）しか出さず、そのベータ線は人の細胞を突き抜けることができないほど影響力は弱い。そのトリチウムについて、同社説は次のように書く。

「水素の同位体トリチウム（三重水素）は放射性物質である。希釈すれば放出してもいいと

図表12／産経新聞「日中韓のトリチウム年間排出量」

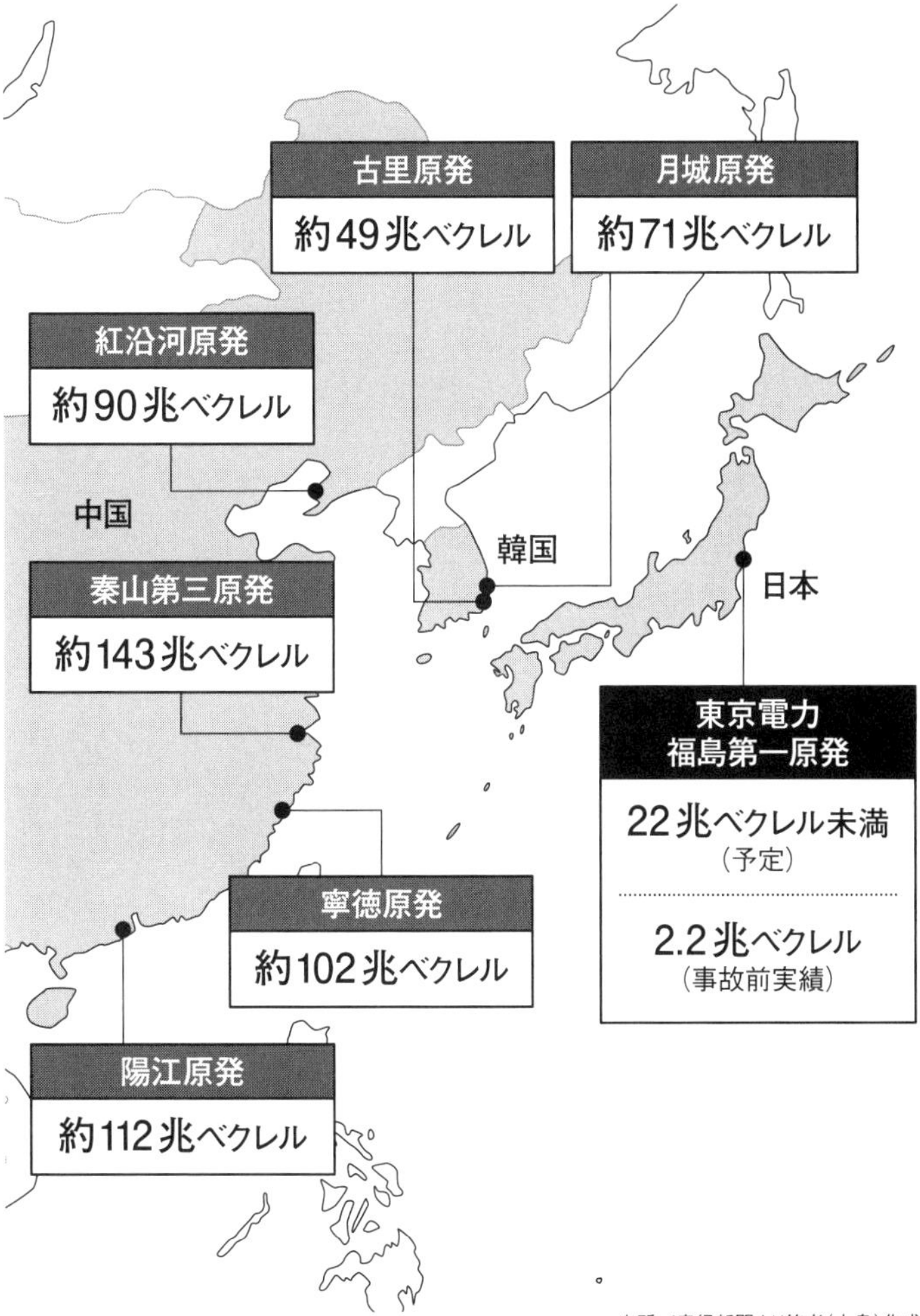

出所／産経新聞より筆者（小島）作成

いうことに、地元関係者をはじめ多くの人が疑問を持っている。……漁業者が反対し、住民が懸念するのは当然だ。海洋放出は無責任だ。……東電は「処理水」とするが、トリチウムが残る限り『汚染水』である」

さらに、「矢ヶ崎克馬琉球大名誉教授（物性物理学）は『トリチウム水は普通の水と同じ性質だが、質量が大きい分、気化もしにくく生物濃縮も起きやすい。細胞内でDNAを傷つける可能性がある』と指摘する」

ここまで恐怖を煽る社説も珍しい。トリチウムは原子力発電所の通常の運転でも発生する。このため、世界中の原子力施設は放出基準を順守しながら、トリチウムを海などに放出している。こういう事実を無視して、一方的に「汚染水だ」と決めつけ、実際に人の細胞の遺伝子を傷つけるかのごとく不安を煽る。

水と同じ性質をもつトリチウムは「生物の体内で濃縮することはない」というのが科学者の共通認識である。つまり、「生物濃縮が起きやすい」は間違いである。もし濃縮する生物がいたら教えてほしい。そういう生物がいたら、濃縮に活用できるからだ。

この社説は、現在の科学的な共通認識とは明らかに異なる一部の異端的な意見だけを取り上げて恐怖を煽る手法そのものである。

琉球新報は約2カ月後の7月27日付の社説でも、「……トリチウムが残る限り『汚染水』である」と論じ、「処理水」という言葉が定着した２０２３年になっても、適切な言葉として

「希釈した汚染水が妥当」(2023年7月4日付社説)とあくまで「汚染水」にこだわる。

中国と韓国の立場から日本を非難する社説

中国新聞(2022年7月24日付)もひどい。

「処理水に含まれる放射性物質トリチウムなどが健康被害をもたらす可能性は否定できない。それが確認されなくても風評被害を招くことは避けられまい。……政府や東電が放出計画を強引に進めることなどあってはならない。ただALPSでトリチウムは除去できない。政府は『原発の排水にも含まれている物質』と危険性の低さを強調するが、体内に蓄積される内部被曝《ひばく》の影響まで否定できるものではない」。

トリチウムは人の体内で蓄積しないというのが科学者の共通認識だが、まるでトリチウムが体内に蓄積して健康被害が起きるかのように恐怖心を煽る。

さらに「規制委の認可に韓国は『潜在的影響』への憂慮を示し、責任ある対応を日本政府に求めることを決めた。中国は『無責任』と激しく反発している。福島第一原発事故に由来するセシウムが北極海にまで広がっていた事例も報告されている。人体に静かに蓄積され、長期間にわたり被害を及ぼしかねないことを踏まえれば、海洋放出の判断には慎重を期すべきだ。子や孫やその先の世代に影響が出ても、その時に今回の認可の責任を取れる人は誰もいないことを忘れてはならない」。

いったいどこまで脅せば気が済むのだろうか。これはもはや論説というよりも左派的アジテーション（扇動）である。中国や韓国の立場に立って、日本を非難するのも琉球新報と同じ手法だ。孫の代まで影響が及ぶかのごとく主張するが、何の根拠もない。仮にトリチウムの影響が孫の代まで及ぶと確信しているならば、日本よりもはるかに多くのトリチウムを海へ放出している中国に対しても、「あなたたちは日本以上に気をつけたほうがいいですよ」との社説メッセージを送るべきだろう。ともあれ、こんな劣悪な社説が堂々とまかり通っているという事実に愕然とせざるを得ない。こういう社説があるからこそ、福島産への風評被害が生じるのだという好例だろう。

「理解」と「合意」のすり替え

佐賀新聞（2022年7月23日付）も悪意に満ちている。

「第一原発では炉内冷却のための注水や建屋に流れ込む地下水、雨水によって大量の汚染水が発生している。これを特殊な装置で浄化したものを『処理水』というが、トリチウムなど取り切れない放射性物質が含まれる汚染物質であることに変わりはない」

やはり、この社説でも「汚染物質」という言葉を使い、「汚染」を強調する。どの新聞社が不安を煽っているかを知る指標として、海に放出する水を「汚染」と呼ぶかどうかで判断できる。

続けて、同社説は「海洋放出に関してより重要なのは、これらの科学的、工学的な評価ではなく、社会的な合意という問題だ。東電は『地元の合意なしには放出はしない』としているし、立地自治体と結んでいる協定では、放射性物質の影響が及ぶ可能性がある施設を新増設する場合、地元の事前了解を得る必要がある」と書く。

ここでは絶妙なトリックを披露している。「地元の合意なしには放出はしない」は誤りである。2015年に福島県漁業協同組合連合会と東京電力が結んだ協定は、正しくは「関係者の理解なしには」である。「理解」と「合意」では雲泥の差がある。たとえ海洋放出に反対であっても、理解を示すことはありうる。この部分は、本来なら、「『合意』は『理解』の間違いでした」と訂正を載せることが必要だろう。社説の筆者は、勝手に「理解」を「合意」という言葉にすり替え、「東京電力は合意を無視して、海洋放出を強行しようとしている」というイメージを作りたいのだろう。

この佐賀新聞の社説は最後に署名があり、共同通信社の論説委員が書いたものだと分かった。その同じ論説委員が2023年8月23日にも佐賀新聞の社説を書いているが、このときは「関係者の理解なしには……」と正しく「理解」という言葉に変わっていた。読者が気づかぬ間にしれっと訂正したと思われても仕方がないような訂正である。地方新聞は共同通信社の配信記事や論説を載せることが多い。共同通信社の主義主張に偏りがあることもあるという特徴を知ったうえで読みたい。

地方紙の大半は海洋放出に反対

ここに挙げた三つの論説は中央紙でも見たことがないほどの不安扇動ぶりである。全ての地方紙の社説を読んではいないため、私なりの判断だが、おそらく氷山の一角だろう。

日中韓55紙の社説を検証して、その鋭い分析結果をネットに載せている「晴川雨読」氏の調査結果によると、福島県の地元紙を除く地方紙の社説の大半は処理水の海洋放出に反対だという。福島から遠く離れた県ほど福島産への抵抗感が強く、福島県で実施されている食品の放射性物質の検査状況を知らない割合が多いという関谷直也・東京大学大学院准教授の調査結果がある。福島から遠く離れた県ほど福島の状況を正しく認識する割合が低いというのだ。その背景には、こういう地方紙の記事の偏りがあると筆者（小島）は見ている。

地方紙だけを読んでいても、このような特有の偏った情報に染まっていくことが分かるだろう。

分断が微妙に変化する気候変動問題

「地球温暖化対策＝CO_2削減」に賛成する各紙

これまで述べてきたように、多くのテーマで朝日、毎日、東京、共同通信社の陣営と読売、産経新聞の陣営に分かれる。ところが、気候変動（地球温暖化）や電気自動車（ＥＶ）などがテーマになると、この分断の構図が大きく変わり、産経新聞の一部記者を除き、ほぼ全ての新聞社が足並みをそろえる。なんとも不気味な構図の出現である。地球温暖化の原因が本当に二酸化炭素（CO_2）なのかどうかというと科学的には疑問が多いのだが、ほとんどの新聞が二酸化炭素説に関する疑問を報じない。日ごろ、政府の政策に批判的な朝日新聞や毎日新聞も「地球温暖化を抑制するために二酸化炭素を減らそう」という論陣を張り、この点では政府と同じ側に立っている。

その背景には、地球温暖化の防止という「気候正義」（絶対不可侵の一般意思かのような響き）が全世界の政府、企業、金融機関、投資ファンド、環境保護団体、ハリウッドのセレブ俳優、自治体、学校、科学者集団、そしてメディアと、あらゆるところにはびこり、反論を許さない状況を作り出していることが挙げられる。

　朝日新聞といえば、原子力や残留農薬、遺伝子組み換え食品などの問題では、どちらかと言えば、政府の政策に批判的な学者を登場させて記事を作ったり、コラムを載せたりする。だが、地球温暖化問題となると、例えば、ＮＨＫなどに頻繁に登場する江守正多・東京大学教授（国立環境研究所）など、政府側に立つ学者を堂々と載せる。朝日新聞の記者が江守氏にインタビューする記事では、記者による批判精神はゼロ。江守氏が「地球温暖化で最も影響が大きいのが二酸化炭素（CO_2）です」といえば、そのまま載せている。これが原子力の新設や再稼働の問題なら、おそらく記者は鋭い質問を浴びせるだろう。しかしなぜか、気候変動や温暖化問題だと、その鋭い批判精神が鈍ってしまう。

　地球温暖化がテーマとなると、主要新聞社の社説にも大きな差がなくなってしまうのも不気味である。政府間組織の「気候変動に関する政府間パネル」（ＩＰＣＣ）の報告書について、朝日新聞の社説は「世界の科学的知見が結集された報告書」（２０２１年8月12日付社説）とみなし、脱炭素の方向については「すでに多くの先進国で、政府も企業も温暖化対策を前提に、政策やビジネスを組み立てており、遅れれば国際競争力にも影響を及ぼす。日本は……さらに高い目標を目指すことで、世界をリードしたい」（同社説）と述べ、政府と企業が足並みをそろえて、世界をリードすべきだと論じる。

読売新聞も「地球規模の温暖化問題に国境はない。世界が一致団結して取り組める安定した環境が望まれる。……日本では地方自治体や企業とも協力し、温暖化に強い社会を目指すことが重要だ」（2022年3月2日付社説）と熱く述べる。骨子は朝日新聞と大差はない。

二酸化炭素を減らすためにどんな手段をとるかに関しては、原子力を肯定的に見る読売と産経、そして原子力に否定的な朝日、毎日、東京新聞に分かれるが、地球温暖化の防止に二酸化炭素の削減が必要だという点では一致している。ただし産経新聞だけは、一部の記者が二酸化炭素説に疑問を投げかける記事を書いたり、オピニオン面の「正論」に二酸化炭素説の矛盾を指摘する識者の投稿を載せたりしている。このテーマでは産経新聞だけは異色といえるだろう。

「東京都の一般住宅への太陽光パネル設置義務化」問題

産経新聞だけが二酸化炭素説や太陽光礼賛に疑問を投げかけて、言論界に一石を投じる構図は、東京都の小池百合子知事が新築住宅に太陽光パネルの設置を義務付ける「環境確保条例」改正案が2022年12月に東京都議会で可決されたときの報道にもみられた。

太陽光パネルの設置義務化で今後、東京都民以外にも重い負担がのしかかるのは必至にもかかわらず、大半の新聞は肝心なことを報道しなかった。「新聞の役割は権力の監視だ」と豪語している新聞がまるで牙を抜かれた狼に化けていた。

太陽光パネルの設置義務化に対しては、有馬純氏（東京大学公共政策大学院教授・元経産省官僚）▽山本隆三氏（常葉大学名誉教授・国際環境経済研究所所長）▽山口雅之氏（元大阪府警警視・全国再エネ問題連絡会共同代表）▽杉山大志氏（キヤノングローバル戦略研究所研究主幹）の4人が記者会見（2022年12月6日）を行い、以下のことを訴えた。

「日本で使われている太陽光パネルの約8割は中国製であり、その多くは強制労働や人権侵害が問題視されている新疆ウイグル自治区で生産されている。太陽光パネルの設置義務化は中国の人権侵害に加担し、中国を利するだけだ。太陽光パネルを設置した人は、自分で使わなかった電気を固定価格（FIT制度）で買い取ってもらえるため、利益を得るが、その利益分を負担するのは、他の東京都民や他の県民である。義務化は太陽光パネルを設置した富裕層を利するだけで、逆に庶民層の負担を増やし、格差や不公平感を拡大させる。大規模な水害でパネルが水没したときには、感電事故が起きる危険性がある」

この会見をほぼ全新聞社の記者が聞いていた。翌日の新聞でこうした問題点が報じられるかと思ったら、しっかりと報じたのは産経新聞とTBSテレビだけだった。記者会見に来ていたTBSの「Nスタ」取材陣は、「パネルの多くは中国製だ。設置が義務化されても、CO_2を減らす効果はほぼゼロ。富裕層を利するだけで、他の国民に負担をつけ回す」など問題点を的確に報じた。フリップボードの解説も分かりやすかった。

実は、このパネル設置義務化問題に関しては、亡命ウイグル人による民族団体「世界ウイグル会議」のドルクン・エイサ総裁が12月5日に東京都内で会見し「設置義務化は中国のジェノサイド（民族大量虐殺）に加担する」と訴えていた。このことを報じたのは産経新聞社が発行する夕刊フジだけだった。

日ごろ、権力を監視することが新聞の使命だと豪語する朝日新聞は、小池都知事という権力に目を光らせているかと思いきや、応援団に化けていた。２０２２年6月11日の社説は「都は手本になる制度を」と小池都知事にエールを送っていた。その中身を読むと「建物への設置は有望な打開策だ。設置には戸建てで１００万円程度の費用がかかるが、都の試算では約10年で回収可能という。住民の理解を得ながら普及を促すためにも、利点や正確な情報を丁寧に説明していくことが必要だ」（一部要約）などと書き、小池都知事を持ち上げた。処理水の海洋放出で政府を批判する論調とは全く異なることが分かる。

こうしてみると、新聞の限界をつくづくと感じる。ほとんどの人は1紙しか読んでいないので、太陽光パネルの設置義務化にどんな問題が潜んでいるかを知らないままだろう。

なぜ太陽光パネルの推進に政府や自治体は巨額の税金を費やすのか。それは補助金という誘導策をとらないと、普及しない出来の悪い発電装置だからだ。太陽光で本当に電気代が安くなるなら、放っておいても、皆が我先にと競って太陽光パネルを設置するはずだ。

東京都の太陽光パネルの設置に関しては、遺伝子組み換え作物などに批判的なジャーナリストの堤未果氏でさえも、自著『堤未果のショック・ドクトリン』（幻冬舎新書）でパネルの8割を中国に依存する問題や太陽光を普及させるためにつくられた巨額の国民負担金（固定価格買取制度）の問題を指摘、さらに次のように東京都のパネル設置義務を批判している。

「太陽光パネルは、国の固定価格買取制度で地主と業者は儲かりますが、土砂崩れや感電のリスク、強風でパネルが飛んでくる危険など、近隣住民には迷惑が多く、電気代が上がるので、都民はたまったものじゃありません。日本はなぜこんな風に、一部の人たちが儲けて国民が苦しむ仕組みをつくってしまったのでしょう？」

堤氏と筆者（小島）では意見の相違は多いが、太陽光の問題では珍しく一致し、右記の本は読んでいて痛快である。新型コロナウイルスなどにみられるように世の中がパニック（ショック状態）になると皆が思考停止に陥り、おかしな政治やメディア報道がまかり通る。思い起こせば、BSE（牛海綿状脳症）も、HPV（ヒトパピローマウイルス）ワクチンの副反応問題も、新型コロナウイルスも、同根といえそうだ。

「島宇宙化」する新聞社と読者

若い世代を中心とする新聞離れと新聞界の分断の構図は今後どうなるのだろうか。

新聞社と購読者の関係は、一企業と顧客の関係にあたる。企業が生き延びるには顧客の確保は絶対に欠かせない。その意味で「お客様は神様」なのは間違いない。そうなるとどの新聞社も自らの固定読者をしっかりと獲得するしか生きる道はない。読者を確保するためには、読者の気に入る情報（読者のニーズに応える記事）を送って、読者を引き留めておくことが必要になる。

言い換えると、今後、ニュースを流す新聞社は自分好みの読者を囲い、読者層と運命を共にする傾向はますます強くなっていくだろう。例えば、朝日新聞や毎日新聞、東京新聞の読者には、いわゆるリベラルで高学歴な識者やオールド左翼の読者が多い。保守層に強い産経新聞や読売新聞とは明らかに読者層が異なる。そうなると、産経新聞は産経になじんだ読者を手放さないよう、朝日は朝日好みの読者を手放さないよう、愛読者の好みに沿ったニュースを配信し、読者を引き留めようとする。

これは新聞社が読者とともに「島宇宙化」する構図だ。島宇宙とは、社会学者の宮台真司氏が定義したように、同じような価値観をもった者同士が集団をつくって固まり、他の集団とは干渉しないような空間を指す。生き物の世界にたとえると「縄張り」と言ってもよいかもしれない。自分の仲間（読者）を囲って、縄張りをつくり、その縄張りを死守する生き残り作戦である。

それぞれの媒体が好みの読者を囲みながら、縄張りをつくる。これが分断である。裏を返すと朝日新聞の読者は、対極にいる読売新聞や産経新聞を絶対に読まないという構図だ。逆もまたしかりである。問題は、この島宇宙が今後、大きくなるか小さくなるかだ。

新聞の再生に「反論欄」を

2023年2月のABC協会新聞発行レポートによると、読売新聞の発行部数は約663万部、朝日新聞は約397万部、毎日新聞は約185万部、産経新聞は約99万部、日本経済新聞は約168万部だ。スマホが今ほど普及していなかった2005年には、読売は約1000万部、朝日は約800万部、毎日は約400万部もあった。読売は半減になっていないものの、朝日、毎日は半減してしまった。どの社も「島宇宙」もしくは「縄張り」をつくって生き延びようとしているが、縄張りの大きさはどんどん縮小している。

別の島に住む人に向けて情報（記事）を届ければ、中には別の島からこちらの島に移る人も出てくるであろう。だが、そうすると、「なぜ、朝日新聞に遺伝子組み換え作物や原発のメリットを報じる記事が出てくるんだ。こんな記事は読みたくない。もう朝日とは決別するぞ」という購読者が出てくることは必至である。すでに住んでいる島の住人（購読者）は高齢者ばかりだ。若い世代が島に移り住めば、島宇宙は大きくなるだろうが、SNSやネット情報になじんだ若者はもはや新聞という島への関心を失って見向きもしない。

今後の新聞（紙媒体）の行く末はかなり厳しい。ただ、多様な言論空間を維持するには、たくさんの島宇宙があったほうがよい。すでに述べたように媒体の数が多いほど多様な意見、言論の自由が保障されるからだ。新聞やテレビの影響力が衰えたとはいえ、行政や企業にとっては、どんな問題が重要かを示すアジェンダ（議題）設定では、依然として新聞やテレビの役割は大きい。

ではどうすればよいか。新聞を購読する場合、1紙に偏らず、半年ごとに新聞を替えてみることを勧めたい。それは多様な言論の存続を保障することにもつながる。

もう一つ、新聞やテレビの信頼性を取り戻すためには、読者からの反論権を認めることが必要だ。言論の自由を振りかざすからには、反論を許す機会も認めねばならない。読者が紙面作りに参加できるならば、信頼性はさらに上がる。

一例を挙げよう。

図表13／朝日新聞「『腸年齢』を若々しく保つには…」

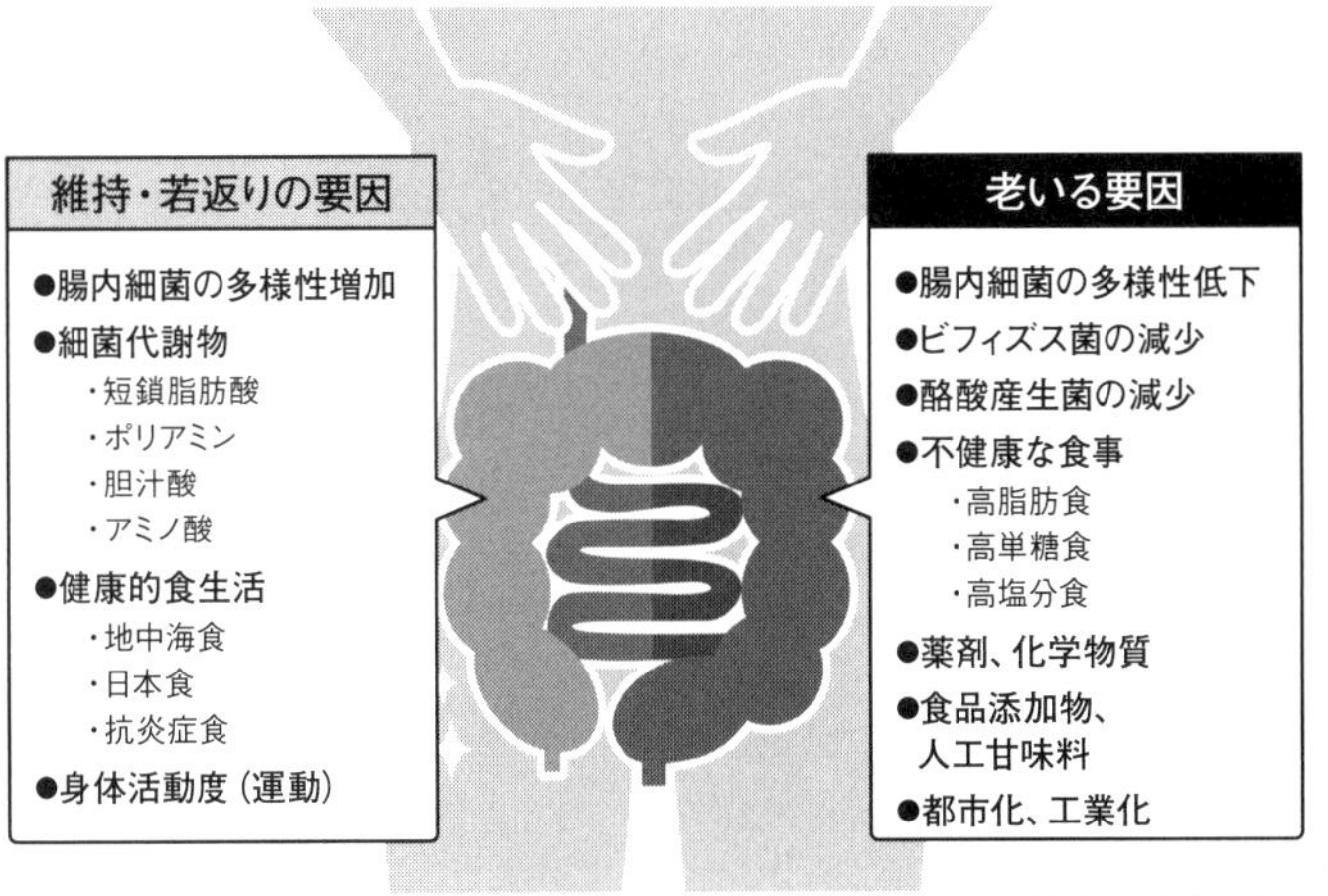

維持・若返りの要因	老いる要因
●腸内細菌の多様性増加 ●細菌代謝物 　・短鎖脂肪酸 　・ポリアミン 　・胆汁酸 　・アミノ酸 ●健康的食生活 　・地中海食 　・日本食 　・抗炎症食 ●身体活動度（運動）	●腸内細菌の多様性低下 ●ビフィズス菌の減少 ●酪酸産生菌の減少 ●不健康な食事 　・高脂肪食 　・高単糖食 　・高塩分食 ●薬剤、化学物質 ●食品添加物、 　人工甘味料 ●都市化、工業化

出所／朝日新聞より筆者（小島）作成

朝日新聞は2021年9月26日付朝刊に「『腸年齢』を若々しく保つ免疫力アップ・老化防止のポイントとは」と題した記事を載せた。その図表を見てびっくり仰天した（図表13参照）。腸内環境を悪くする要因として、「食品添加物」「人工甘味料」「化学物質」「薬剤」「都市化」「工業化」が記されている。都市に住み工業文明の恩恵をたっぷりと受けている記者たちが「都市化」や「工業化」を腸内細菌にとって悪い要因だと安易に書いていること自体が信じがたい。塩も、水も、ビタミンCサプリメントも全て化学物質なのに、なにゆえ「化学物質」が腸に悪いのか。工業化が進むと腸内細菌が悪化するというなら、日本や欧米の先進国でなぜ、長生きする人が増えているのだろうか。

逆に腸内環境を良くする要因を見ると、食

品添加物の一つにもなっている「アミノ酸」や「短鎖脂肪酸」が出てくる。食品添加物が悪いと言いつつ、食品添加物としても流通しているアミノ酸や短鎖脂肪酸（酪酸、プロピオン酸、酢酸など）は良いという矛盾をおかしている。

その矛盾に気づいていないところをみても、この図表には科学のかけらも感じられない。早速「食品安全情報ネットワーク」は訂正要望を出した。するとなんと、朝日の編集者から「記事に間違いはありません」とのひと言だけが戻ってきた。こういう誠実さに欠ける対応では、読者が減っていくのも無理はないとつくづく悟った。こういう場合に「では反論を載せますので、ご意見を書いて送ってください」という媒体なら信頼性も高くなるだろう。どの新聞社も、個別の記事に関しては読者参加の道を設けていない。毎月1回、1ページでもよいから、記事への反論を載せる新聞社が現れたら拍手喝采を浴びるだろう。

検察案件は横並びの報道

この章の締めくくりとして、どの媒体もこぞって横並びする分野があることをお伝えしたい。そこに分断はない。だからこそ逆に怖い。

それは検察マターだ。再度、弁護士の弘中惇一郎氏が著した『特捜検察の正体』を紹介したい。筆者は長野県松本支局時代の警察まわりを除き、事件記者を経験したことがない。1度だけ女性の性被害問題で東京地検に取材を申し込んだことがあるが、記者クラブに属する毎日新聞の記者を通してしか取材を受けないといわれ、極めて権威主義的で閉鎖的な組織だという印象しかない。

それはさておき、弘中氏は同書で検察の暴走が引き起こした冤罪事件として、政治家の鈴木宗男事件、政治家の小沢一郎事件、カルロス・ゴーン事件、元厚労省事務次官の村木厚子事件、安部英医師薬害エイズ事件、政治家の秋元司IR汚職事件などを挙げている。詳しくは同書を読んでほしいが、驚愕の事実が次々に出て来る。

筆者が強調したいのは、記者はどの媒体に限らず、おしなべて検察のリークに弱いことだ。検察が自分の意図するストーリーに沿った情報を記者にリーク（意図的に情報をもらすこと）すれば、どんな記者でも「特ダネをもらった」とばかり大喜びで飛び付き、記事にする。

厚労省の村木厚子さんが逮捕されたとき、全ての新聞社は「不正を生んだ上意下達」「敏腕キャリアなぜ」「女性キャリアの星なぜ　無責任体質」などと一斉に検察の意図に沿った報道を繰り返していた。ところが、裁判になって、検察が調書を改ざんしたり、関係者を脅して自白させたりしていたことが分かり、村木さんは無罪となった。

検察情報以外に情報がないと、国民のほとんどは検察の意図するままに偏った情報を信じることになる。そして、まだ裁判が始まってもいないのに、被疑者を犯罪者とみなす心理になっていく。

もしも検察の扱う事件で新聞社が2陣営に分かれ、検察の情報を冷静に監視する新聞社と検察の側に立つ新聞社が存在すれば、バランスの取れた情報が出てくるだろう。しかし、こと検察に限ると記者は皆横並びで一斉に検察リークに飛び付く。特ダネ情報欲しさだ。

すでに述べたように気候変動問題でも大半のメディアは批判精神を発揮していないが、検察の事件はその比ではない。記者が全て検察側につくオール与党なので、検察の意図する犯人像だけが世論に浸透していく。検察の取り調べに弁護士が立ち会えないのは日本の司法制度の最大の欠陥だ。海外では当たり前のことが日本ではいまだに実現していない。取り調べの密室性（何やら記事の製作過程の不透明さを思わせるが）が冤罪を生む大きな要因なだけに、メディアはもっと検察行政に目を光らせるべきだろう。

村木さんは検察官に対して「事実を説明すれば、ちゃんと聞いてくれて誤解は解けるものと思っていた。まさか脅しやだましによって、事実とかけ離れた供述調書に無理矢理サインさせるなど夢にも思わなかった」と述べている。

弘中氏も「メディアが報じる事件の真相は、あくまでも検察官が思い描いた一つの仮説に過ぎず、事実であるとは限らないことを知っていただきたい」と同書で訴えている。全くその通りである。この村木さんと弘中氏の目をもっていれば、検察の扱う事件報道に惑わされずに済む。検察官が家宅捜索している光景をテレビのニュースで見たら、「まだ何も分かっていない。真相は裁判を待ってから判断したい」と冷静に自分に言い聞かせることをお勧めする。

このことは不安や恐怖を煽るニュースにも言える。ニュースや映像には、情報の送り手（記者や検察官、行政官など）の意図が隠されていることを常に忘れてはいけない。

終章

フェイクを見抜くために

ファクトチェックの重要性

AIによるファクトチェック

嘘は人間関係を壊すだけでなく、これを保つ役割を果たすこともあり、人間が社会生活を続ける限りなくなることはない。情報の共有がSNSにより世界レベルにまで広がると、フェイクニュースは政治や社会や経済を動かす大きなビジネスになった。そしてAIを使ってフェイクニュースが製造され、ネット技術を使って大量に拡散している。その割合は極めて大きく、ネット情報の大部分はフェイクニュースという話まである。私たちはこのような事態にどのように対処できるのだろうか。

教科書的にいえば、私たち全員が科学リテラシーとメディアリテラシーを持たなくてはいけない。それは事実だが、現実の問題としてそれだけでは不可能である。そこで私たちの判断を助ける手助けが必要になるのだが、それがファクトチェックである。実際にメディアをはじめ多くの組織がファクトチェックを行っている。ところが膨大な量のフェイクニュースの中でファクトチェックの網にかかるのはほんのわずかである。

人間にはとてもできない仕事をするのがＡＩであり、早速出てきたのがＡＩを使ってフェイクニュースを見分ける技術である。最近の例では外務省がＡＩを使ってＳＮＳを検索して、韓国のインターネットニュースで「日本の外務省幹部がＩＡＥＡに多額の政治献金をして福島第一原発処理水を安全と言わせた」というフェイクニュースを発見し、数時間以内に英文で世界に向けて反論を発信したことが報道された。

これをビジネスにしたのが米国の「ザ・ファクチュアル（https://www.thefactual.com/news)」だ。２０１9年に始まり、毎日1万本以上の記事を評価している。評価基準は「情報源」「書き方」「専門性」「評判」の4項目で、「情報源」には記事を書いた記者が自分で取材したものか、政治的な偏りはないか、何回引用されているのかなど、「書き方」には感情的あるいは扇動的な書き方ではないかなど、「専門性」はその記者の専門分野、以前に同じテーマで記事を書いているか、前に書いた記事の点数など、そして「評判」はその記事を掲載しているサイトの評判である。

こうしてこれまでに5万人の記者が２０００のニュースサイトに掲載した１０００万本の記事を評価した。評価結果を見ると、ニュースが掲載されて早いものは数時間以内に採点している。そして75点以上は信用できるが、50点以下は信用できないという目安だという。これまでに調査した全ての記事の平均信頼度は62・5点という微妙な点数だった。

2022年9月に米国Yahoo!に買収されてその一部門になったので、今後はYahoo!ニュースの信頼度を見分ける重要な手掛かりになるだろう。現在は英文の記事しか評価していないが、近い将来、日本のYahoo!ニュースもこの仕組みを取り入れることが期待される。

しかし、それで問題が解決するわけではない。私たちの情報源を、図に示すように、以前からある新聞・テレビと、それらのニュースを転載するYahoo!ニュースなどのネットニュースサイト、そして個人や組織が発信するTwitter（現在はX）、Facebook、LINE、Instagram、YouTube、Clubhouse、Pococha、TikTokなど多数のSNSに分類できる。それぞれの視聴者数は新聞・TVよりネットニュースのほうが多く、SNS視聴者は圧倒的に多いと考えられる。その理由は新聞や一部のネットニュースが有料であるのに比べてSNSは無料であること、そして何より情報量が圧倒的に多いことである。しかし「ザ・ファクチュアル」の判定を待つまでもなく、最も信頼度が高い情報は新聞・TVであり、SNS情報の大部分がフェイクニュースと言われる。その理由は、危険情報や新規の情報、そしてヒトを驚かせるような情報の大部分がフェイクニュースなのだが、SNSではその真偽を問わずに引用されて拡散するためである。

新聞に大きな問題があることは述べたが、総合的に見ると、ファクトチェックが最も必要な分野は新聞よりSNSということになる。国際的にはAIが作った偽情報を見分けるため

図表14／私たちの情報源

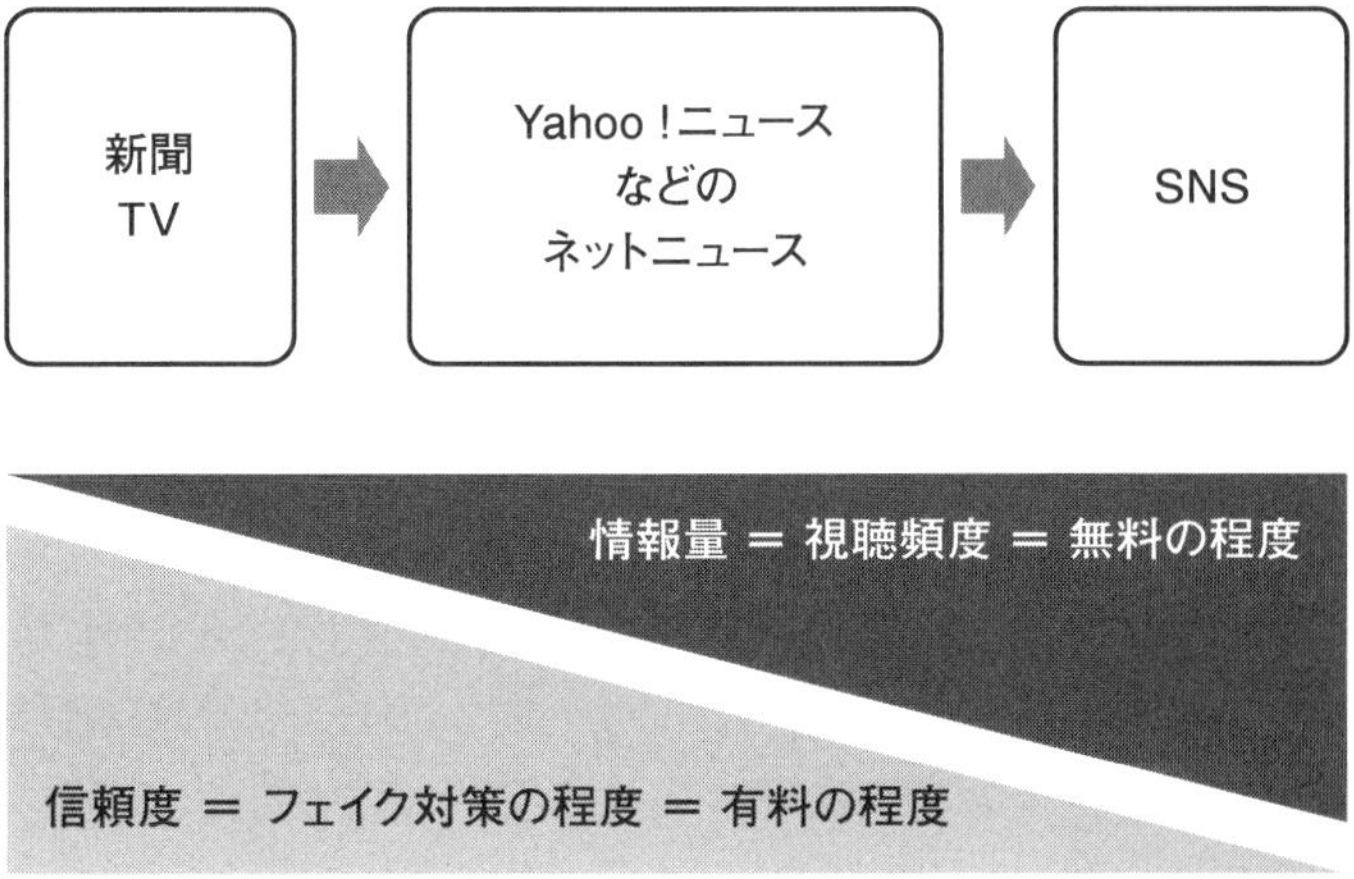

出所／筆者（唐木）作成

に「オリジネーター・プロファイル」という電子署名を付与して作成者を明らかにする仕組みが動き出している。また Twitter を買収してその名称をXに変更したイーロン・マスク氏は、誤解を招くような投稿があれば、一般の応募者から選ばれた協力者が指摘する「コミュニティーノート」という機能を採用した。これらの動きが示すように政府もSNS運営企業も努力しているが、その量の多さから全てのSNS投稿を評価することは現在は不可能だ。しかしAI技術革新の速度を考えると、近い将来にはAIが全てのSNS情報を評価してその信頼度を表す点数を表示することで、我々の判断を助ける日が来るだろう。

従来のファクトチェック活動の限界

新聞やテレビ、週刊誌のニュースの真偽を見極めるのは、実はそう簡単ではない。まして や、誰もが発信するSNS情報となると、もはや一つ一つの情報を検証する作業自体が膨大過ぎて不可能に近い。

真偽の判定が簡単ではないという意味は、科学的な観点から見て、事実かどうかを見極めることが意外に難しいという点にある。

例えば、日本でも、ようやくファクトチェック活動を行う「日本ファクトチェックセンター」（東京）が2022年10月にスタートした。このセンターは、Yahoo!やネット関連企業などでつくる一般社団法人「セーファーインターネット協会」（SIA）が設立した非営利機関である。編集長は元朝日新聞記者の古田大輔氏である。運営資金はグーグルとYahoo!ジャパンの寄付でまかなっている。ネット配信会社の社会的責任の一つとして、寄付したのだろう。現在、インターネット上の偽情報や誤情報をチェックして、「正確」「不正確」「誤り」などと判定している。

最近のファクトチェック例では、「(福島第一原発で発生した放射性物質を除去する施設の)ALPSを通しても、ストロンチウムを含む放射性物質の約6割が除去されず、海に放出される」というネット上の言説をチェックし、「これは誤りです」との判定結果を公開している。6割が除去されずに放出されているかどうかは、経済産業省や東京電力のウェブサイト、日ごろの新聞報道を見ていれば、すぐに誤りだと分かるため、判定は容易である。

だが、本書で書いてきたような「特定の農薬で宍道湖のワカサギやウナギが激減した」や「農薬が自閉症の原因となっている」といったニュースとなると、そのもとになった論文の真偽を判定するのは容易ではない。複数の科学の専門家を取材してみっちりと時間、労力をかけて精査する必要があるからだ。いま世界各国で行われているファクトチェック活動は、政治家など有名人の言説が主な対象で、科学的なテーマはあまり対象になっていない。そこが従来のファクトチェックの限界ともいえる。

そういう意味では、筆者2人が共同代表を務める「食品安全情報ネットワーク」(FSIN)は、主に科学的なテーマの記事を対象にファクトチェック活動を行ってきた。この分野では草分けだと自負している。この活動は2008年から始まったので、すでに15年を超える。その長い体験の中でつくづく感じた点が二つある。

一つは新聞や週刊誌に載る「偏った記事」には共通の特徴がある点だ。もう一つは読み手(読者)自身が最低限の科学的知識(科学リテラシー)を身につけていれば、おかしな記事にだまされないで済むという点だ。この二つを押さえておけば、おかしな情報に惑わされずに済む。

フェイクニュースと冷静に向き合うために

七つのニュースの特徴

それには、まずニュースの特徴を知ることが大事だ。以下の七つのことはぜひ知っておきたい。

①どんなニュースも、記者（もしくは報道機関）が記者の視点で切り取った全体の一部だということを知る。つまり、ニュースは中立的ではない。例えば、多くの週刊誌はそもそも正確なリスクを伝えようとする意図をもった媒体でなく、注意を引くために特異的な現象を大げさに書く習性をもった媒体だと覚えておく。

②記者は、見たもの、聞いたことを全て報じているわけではない。例えば、遺伝子組み換え作物の普及で農薬の使用が減ったという重要な出来事があっても、記者のアンテナ、価値観、その記者が属する媒体の社論（社説）に合わないと報じられない。何が報じられていないかを知ることも重要だ。

③記者はそもそも「安全」よりも「危ない」話を好む。その結果、私たち読み手（国民）には不安を引き起こす「危ないニュース」ばかりが届く。このため、食品添加物や残留農薬、遺伝子組み換え作物などに関するニュースは常に危ない面が増幅されて配信される。例えば、人工甘味料のような食品添加物でがんになるといったニュースは、ごく一部の学者が不備な動物実験や信頼性の低い疫学研究を基に主張している場合が多く、鵜呑みにしてはいけない。

④危ないニュースを取り上げるメディアが多いからといって、現実に食品などのリスクが高くなっているわけではない。「食べて危ない」食品は微生物汚染による食中毒であり、残留農薬や食品添加物ではない。仮に私たちの健康が脅かされるような危害が現実に生じていれば、公的な機関が動いているはずだ。公的な機関がどんな情報を発信しているかを常に見る習慣をもちたい。

⑤「何かが危ない」というニュースを特定の媒体で見たら、まずは鵜呑みにせず、他の媒体がどう報じているかを調べてみよう。本当に危ない事態なら、全媒体（新聞なら全新聞社）が報じて、国や企業が対策を行う可能性が高い。これは食品のリスクに限らないが、1紙だけの記事で結論を出さないことだ。

⑥ニュースの中身に疑問を感じたら、その媒体に質問を送ろう。誠実な返答が届けば、その媒体を信用してもよい。返答がない媒体は信頼性が低いとみてよい。返答をしない媒体に対しては、その抗議として購読をやめることも考えたい。

⑦不安を煽って、もうけを企むビジネスがメディアにも存在する。不安を煽る本が大ヒットすれば、書き手は莫大な印税を得ることができる。

ゆがんだニュースに対処する基本知識

ニュースの特徴を知るだけでは、情報を読んだときに冷静にはなれるが、まだ読み解いたという域には達していない。本書でたびたび述べてきたように食品添加物や残留農薬などに関わるフェイクニュースに対しては、以下のような基本知識を知っておくことも防御手段になる。

①IARC（国際がん研究機関）が公表している発がん性の4分類は、危険度やリスクの高い順番に並んでいるわけではないことを知る。この分類は証拠の強さの順番であり、実際に生じる健康リスクの強さの順番に並んでいるわけではない。例えば、証拠がそろっている点では、「ハム・ソーセージ」と「喫煙」は同じ「グループ1」だが、どちらも同様にリスクが高いわけではない。たばこを吸わなければリスクはない。ハム・ソーセージも適量を食べていれば、がんのリスクはない。グリホサート（除草剤）や人工甘味料が発がん性物質とい

うニュースを見たら、「それってリスクとは関係ないよね」と即座に反応できるようにしたい。

②リスクとハザードの関係式（リスク＝ハザード×ばく露量）を常に頭に入れておく。何かが危ないというニュースを見たら、その危ない話はハザードなのかリスクなのかを常に考える。ハザードは単に有害な要因であり、例えば、動物実験で大量の農薬を与えて、何かの危害が生じても、それはハザード（危害要因）であり、現実のリスクではない。週刊誌のニュースは往々にしてハザードを大げさに書く傾向がある。パンからごく微量の農薬が検出されても、実際のリスクは無視できるほど小さい。

③危ないニュースを見たら、実際に人が摂取している量がどれくらいかを具体的に書いているかどうかを確認しよう。どんなリスクも、有害な因子の「量」次第で決まる。毒性があるかどうかは「量」次第という基本的知識を知っておけば、大半のフェイクニュースに対して冷静に対処できる。

④基準値は人の健康影響を測る指標ではないことを知っておく。仮に食品中に残留する農薬の濃度が基準値を超えていても、健康への影響があると考えてはいけない。健康に影響するかどうかは、その有害な因子を一生涯食べ続けても健康影響のない「1日摂取許容量」（ADI）以下に収まっているかどうかで判断する。例えば、第2章で述べたように、非糖質系甘味料のアスパルテームの日本人の平均摂取量はADIよりもはるかに少ないため、全く気にする必要はない。基準値超えのニュースを見た場合、ADI以下かどうかを解説している

ニュースなら信頼できる。

⑤裁判所は科学的な真実を検証する場ではなく、法律の運用や解釈で被害者を救済するところだと考えたい。「原子力発電所の稼働差し止め」や「除草剤とがん」などをめぐる訴訟で、あたかも科学的な真実が裁判で分かったかのようなニュースをときどき見るが、裁判所は被害者を救済すべきかどうかという観点で判断していることを知っておきたい。

⑥一つの論文だけで結論を下さない。「人工甘味料でがんになる」といったニュースを見たら、それが一つの論文を根拠としている場合はまだ不確かな情報だと心得る。また、動物実験で何々が分かったという情報を見た場合も、あくまで参考程度の情報とみなしてよい。

同じニュースでも、様々な科学論文を総合的に解析・評価した論文（システマティックレビュー）を基にした記事なら、信頼性が高いとみてよい。同じ学者の一意見でも、その学者の単なる一意見ではなく、論文の総合的な解析結果を紹介する意見なら信頼できる。どんな情報が信頼できるかを知りたい場合は、図表15を見て分かるように、多数の論文を総合的に解析したシステマティックレビュー（系統的レビュー）や、科学的知見が集積された学界の定説なら、信頼度は高いとみてよい。SNSや週刊誌を中心に出回っている学者や評論家の一意見や動物実験の結果は信頼度が低く、参考情報程度にとどめておく。

このような基本知識を知っていれば、フェイクニュースに対してかなり冷静に向き合えるはずだ。

図表15／科学の情報の信頼性

項　目	信頼度（10点満点）
SNSなどに発表した個人の意見	0
論文1報（試験管内試験・動物実験）	2
論文1報（ヒト臨床試験）	4
複数の論文	6
多数の論文を分析（システマティックレビュー）	8
学界の定説	10

出所／筆者（唐木）作成

１９７０年代から約50年間、様々なリスクを取材してきたが、そのほとんどは農薬や食品添加物、遺伝子組み換え作物、有害な工業用化学物質、原子力発電所、ワクチンにからむ問題だった。この世から、農薬、食品添加物、原子力発電所、ワクチン、遺伝子組み換え作物の五つが消えてなくなったら、市民同士や市民と政府の争いの大半は沈静化するのではないか。そう思うと、フェイク情報（極端に偏った情報）がいかに右記の五つの分野に集中しているかが分かる。

以前に比べると、一般の新聞では不安を煽る記事はかなり減ってきた。その一方、週刊誌はいまも不安ビジネスで成り立っている。そして、そのフェイクニュースの大半は食品添加物と残留農薬をめぐるものだ。そうした記事に登場する扇動者はここ約30年間、同じ顔ぶれだ。週刊誌の煽り記事を読むと「また、この人か」と思うことがほとんどなので、そういう人物を覚えておくのも科学リテラシーの一つだろう。

新聞による煽りが減った代わりにＳＮＳの世界はフェイク情報に満ちている。その意味でどこからも資金提供を受けず、全員がボランティアで行っている「食品安全情報ネットワーク」（ＦＳＩＮ）の重要性はますます高くなっている。もっとＡＩ技術やデータサイエンスに詳しい科学者も仲間に加えて、活動の層を広げていけたら最高である。本書がその一助になることを期待したい。

執筆分担

唐木（1章、2章後半、3章前半、4章後半、5章一部、6章　BSEと中国産食品、新型コロナ問題、終章前半）

小島（2章前半、3章後半、4章前半、5章大半、6章　新型コロナ問題とHPVワクチン報道、7章、終章後半）

参考文献

稲垣栄洋『たたかう植物』（ちくま新書）
井上正康・松田学『マスクを捨てよ、町へ出よう』（方丈社）
岩田健太郎『食べ物のことはからだに訊け！　健康情報にだまされるな』（ちくま新書）
内田舞『ソーシャルジャスティス　小児精神科医、社会を診る』（文春新書）
大脇幸志郎『「健康」から生活をまもる　最新医学と12の迷信』（生活の医療）
岡田尊司『自閉スペクトラム症』（幻冬舎新書）
唐木英明『不安の構造　リスクを管理する方法』（エネルギーフォーラム新書）
唐木英明『牛肉安全宣言　ＢＳＥ問題は終わった』（ＰＨＰ研究所）
唐木英明『証言ＢＳＥ問題の真実　全頭検査は偽りの安全対策だった！』（さきたま出版会）
唐木英明『健康食品入門』（日本食糧新聞社）
吉川肇子『リスクを考える』（ちくま新書）
桐村里紗『腸と森の「土」を育てる』（光文社新書）
小島正美編『誤解だらけの遺伝子組み換え作物』（エネルギーフォーラム）
小島正美編著『みんなで考えるトリチウム水問題　風評と誤解への解決策』（エネルギーフォーラム）
小島正美『正しいリスクの伝え方　放射能、風評被害、水、魚、お茶から牛肉まで』（エネルギー

フォーラム）
小島正美『メディア・バイアスの正体を明かす』（エネルギーフォーラム新書）
小島正美『メディアを読み解く力』（エネルギーフォーラム新書）
小島正美『誤解だらけの放射能ニュース』（エネルギーフォーラム新書）
小坂井敏晶『格差という虚構』（ちくま新書）
小林哲夫『シニア左翼とは何か』（朝日新書）
榊原洋一『子どもの発達障害　誤診の危機』（ポプラ新書）
佐々木敏『行動栄養学とはなにか？』（女子栄養大学出版部）
杉山大志『亡国のエコ』（ワニブックス）
鈴木正彦・末光隆志『「利他」の生物学』（中公新書）
スティーブン・ピンカー『21世紀の啓蒙　上・下』（草思社文庫）
ターリ・シャーロット『事実はなぜ人の意見を変えられないのか　説得力と影響力の科学』（白揚社）
堤未果『堤未果のショック・ドクトリン』（幻冬舎新書）
トム&デイヴィッド・チヴァース『ニュースの数字をどう読むか』（ちくま新書）
成田奈緒子『「発達障害」と間違われる子どもたち』（青春新書）
畑中三応子『熱狂と欲望のヘルシーフード　「体にいいもの」にハマる日本人』（ウェッジ）
林智裕『「正しさ」の商人　情報災害を広める風評加害者は誰か』（徳間書店）

【著者略歴】

唐木英明(からき・ひであき)

農学博士、獣医師。1964年東京大学農学部獣医学科卒業。同大助手、助教授、テキサス大学ダラス医学研究所研究員を経て東京大学教授、アイソトープ総合センター長を併任、2003年名誉教授。倉敷芸術科学大学学長、日本学術会議副会長、公財）食の安全・安心財団理事長などを歴任。日本農学賞、瑞宝中綬章などを受賞。専門は薬理学、毒性学、食品安全。

小島正美(こじま・まさみ)

1951年愛知県犬山市生まれ。愛知県立大学卒業後、毎日新聞社入社。松本支局を経て、東京本社生活報道部で食・健康・医療・環境問題を担当。2018年退職。東京理科大学・元非常勤講師。「食生活ジャーナリストの会」前代表。現在「食品安全情報ネットワーク」共同代表。著書として『海と魚たちの警告』（北斗出版）『メディア・バイアスの正体を明かす』（エネルギーフォーラム）など多数。

フェイクを見抜く

「危険」情報の読み解き方

2024年1月20日　第1刷発行

著　者　唐木英明　小島正美

発行者　江尻 良

発行所　株式会社ウェッジ
〒101-0052 東京都千代田区神田小川町1丁目3番地1
NBF小川町ビルディング3階
電話03-5280-0528　FAX03-5217-2661
https://www.wedge.co.jp/　振替00160-2-410636

ブックデザイン　秦 浩司

図版作成　室井浩明（スタジオ・アイズ）

印刷・製本　株式会社シナノ

※定価はカバーに表示してあります。
※乱丁本・落丁本は小社にてお取り替えいたします。

ISBN978-4-86310-276-7　C0036